D1515980

Disney

HIGH SCHOOL MUSICAL 2

High School Musical 2 : la novela / adaptado por N.B. Grace. - 1ª ed. -
Buenos Aires : Montena, 2007.
168 p. : il. ; 20x14 cm.

Traducido por : Ana Guelbenzu

ISBN 978-950-9080-23-2

1. Narrativa Juvenil. I. Grace, N.B., adapt. II. Guelbenzu, Ana, trad.
CDD 863.928 3

Primera edición en la Argentina bajo este sello: noviembre de 2007

Título original: *High School Musical 2 – The Junior Novel*
Basada en la película original de Disney Channel,
High School Musical 2,
escrita por Peter Barsocchini.

Copyright © Disney Enterpises, Inc.
Publicado en 2007 por Montena, Random House Mondadori, S.A.
Travessera de Gràcia, 47-49. 08021 Barcelona
Traducción: Ana Guelbenzu
Realización: Ātona, S.L.

© 2007, Editorial Sudamericana S.A.®
Humberto I 531, Buenos Aires, Argentina
Publicado por Editorial Sudamericana S.A.®
bajo el sello Montena
con acuerdo de Random House Mondadori

www.sudamericanalibros.com.ar

Queda hecho el depósito que previene la ley 11.723.
Impreso en la Argentina.
ISBN: 978-950-9080-23-2

La novela
Adaptada por N. B. Grace
Basada en la película original de Disney Channel,
High School Musical
escrita por Peter Barsocchini
Basada en los personajes creados por Peter Barsocchini

montena

CAPÍTULO UNO

En el interior del instituto East High reinaba un silencio escalofriante. El auditorio estaba desierto. En la tenebrosa cafetería no se oía el eco de un solo sonido. En el gimnasio, un solitario empleado fregaba el suelo. Nadie subía a toda prisa la escalera, nadie corría por el pasillo. De hecho, lo único que se oía era la voz de la señora Darbus hablando con su clase...

Pero, claro, nadie escuchaba. Troy Bolton consultó el reloj de pared cuando los minutos saltaron a las 14:58. Miró a Gabriella Montez, que le devolvió la sonrisa. ¡Sólo quedaban dos minutos para ser libres!

1

La señora Darbus no parecía ser consciente de que no contaba con la atención de nadie.

—El aprendizaje nunca funciona por temporadas, así que dejen que la brillante luz del verano refresque e ilumine sus fértiles mentes jóvenes —decía.

Sharpay Evans observaba con el ceño fruncido el reloj que hacía tictac, mientras que su hermano, Ryan Evans, miraba ausente por la ventana las formaciones de las nubes. Chad Danforth se esforzaba por mantener los ojos abiertos mientras hacía en silencio la cuenta regresiva hasta las tres de la tarde. Parecía que Zeke Baylor estudiaba, pero tenía escondido *Cómo hacer la magdalena perfecta* dentro del libro de álgebra avanzada, y en realidad estaba leyendo sobre cómo batirla. A Martha Cox le bailaban los pies de impaciencia bajo el pupitre. Taylor McKessie estaba sentada con las manos sobre la mesa; parecía la estudiante perfecta, aunque estaba igual de ansiosa que los demás por que sonara el timbre. Y Jason Cross... ¡Jason estaba tomando apuntes de verdad de lo que decía la señora Darbus!

—El futuro da la bienvenida con su espejo mágico, que refleja cada momento dorado, cada decisión ins-

pirada —continuó la señora Darbus—. Así que recuer-
den aprovechar bien estas semanas y estos días vera-
niegos que se avecinan, con sensatez...

Troy se inclinó para susurrar a Chad.

—La señora Darbus ha llegado al clímax.

Chad abrió los ojos de par en par, sorprendido.

—¿Cómo?, ¿de verdad estás escuchando? —dijo.

Sharpay empezó a tamborilear con los dedos en el
pupitre al ritmo del minutero del reloj. Pasados unos
segundos, empezó a dar golpecitos más acelerados,
deseando que el tiempo pasara rápido, y se volvió
hacia su hermano.

—Ryan, este semestre de chascos y humillación se
para ahora del todo, y empieza el futuro —susurró
ella—. Y eso significa...

Pero Ryan no escuchaba. Todavía miraba por la
ventana.

—¡Ryan! —exclamó ella.

—¿Soy yo —preguntó, somnoliento—, o esas nubes
se parecen a Jessica Simpson?

Mientras los estudiantes se movían inquietos en
sus asientos, parecía que el tictac se oía cada vez más
fuerte y ahogaba la voz de la señora Darbus...

3

Y el reloj de pared parecía hacerse cada vez más grande mientras todos lo miraban ansiosos...

—Los veranos han pasado muy rápido desde que tenía su edad —continuó la señora Darbus, melancólica—. Aun así, los recuerdo con una claridad conmovedora, así que...

Jason levantó la mano.

—¿Sí, Jason? —dijo la señora Darbus.

—¿Cuál es su recuerdo veraniego preferido, señora Darbus? —preguntó Jason.

Toda la clase gruñó. ¿En qué diablos estaba pensando Jason?

Pero la señora Darbus le contestó encantada.

—Ah, sí, recuerdo con cariño el festival de Shakespeare de Ashland del 88. De hecho...

¡Riiiing! Justo a tiempo, sonó el timbre... ¡y todo el instituto estalló de alegría!

Las puertas de las aulas se abrieron a empujones, y los estudiantes se abalanzaron a los pasillos.

¡Era el momento de decir adiós al instituto y hola al verano!

Cuando Troy, Chad, Zeke y Jason caminaban hacia sus armarios, Troy dijo:

—Amigos, cuando termine el campamento de baloncesto, tengo que hacer dinero. No dejo de oír hablar a mis padres de lo mucho que va a costar la universidad.

—Sí, mis viejos aceptarán lo que haga este verano, pero primero tengo que conseguir un contrato –dijo Zeke.

—Yo también –añadió Chad–. Estoy ahorrando para un coche... –Hizo un gesto con la cabeza hacia Taylor, que estaba al otro lado del pasillo– ... para poder llevar a esa chica en una cita como Dios manda. –Hizo rodar con habilidad la pelota de baloncesto que llevaba–. Por desgracia, ésta es mi única habilidad profesional.

Sus amigos asintieron, compungidos. No iba a ser fácil conseguir un trabajo de verano, sobre todo porque estaban en el instituto. ¡Aun así, nada podía turbar la emoción del último día de clase!

Hablando y riendo, todo el mundo se dirigió a la puerta principal... pero no sin unos últimos rituales de despedida, como la firma en los anuarios.

Sharpay estaba junto a su armario rosa de marca y firmaba con su nombre y una gran floritura. De vez en cuando dedicaba una sonrisa al fotógrafo de estudiantes, que merodeaba con la cámara registrando ese momento de fama para la posteridad.

Gabriella se detuvo a observar lo que parecía un furor mediático en los pasillos del East High. Sharpay la miró y dijo:

—Creo que durante los últimos cinco años te has mudado cada verano... Odio pensar que hoy es... —Sonrió expectante a Gabriella— ...¿la despedida?

Gabriella le devolvió una sonrisa de felicidad al pensar que todos esos años de mudanzas de una ciudad a otra habían llegado a su fin.

—No te preocupes. Mi madre me ha prometido que me quedo aquí hasta la graduación del año que viene —contestó alegre Gabriella.

Sharpay torció el gesto.

—Viva el corazoncito de tu madre —dijo, con hipocresía.

Gabriella sentía la tensión. Decidió que era el momento perfecto para arreglar las cosas. O por lo menos intentar evitar que se estropearan del todo.

—Sharpay, tuvimos un mal comienzo, pero tú lo arreglaste —dijo—. Me ayudaste con el musical de invierno.

–Ah, ¿sí? –Sharpay no podía creer lo que estaba oyendo. ¿Cuándo había ayudado a Gabriella? ¿Y cómo? ¿Y cómo podía asegurarse de no volver a cometer semejante error?

Gabriella asintió.

–Aquellos ejercicios de respiración... –Inspiró profundamente, retuvo el aire un momento y lo expulsó para demostrar lo que Sharpay le había enseñado.

–Encantada de ayudar a una compañera Wildcat –dijo Sharpay, en un tono que dejaba claro que se arrepentía amargamente de haber ofrecido cualquier tipo de consejo a Gabriella Montez. Le costó añadir–: En realidad me vino bien la oportunidad de dejar descansar la voz para el musical de primavera.

–Estuviste fantástica –dijo Gabriella.

–Eso dicen... –dijo Sharpay, satisfecha. Siempre dispuesta a revivir un triunfo, sacó una copia del periódico del instituto de su armario. Una foto de ella enorme ocupaba casi toda la portada bajo el titular «Sharpay vuela alto».

–La segunda sesión del tercer viernes no fue todo lo buena que podía haber sido –dijo–, pero es que los medios se impresionan fácilmente.

Luego lanzó el periódico al armario, que aterrizó encima de otras cincuenta copias. Gabriella sonrió y se dirigió a su armario. Al otro lado del pasillo, Troy, Chad, Zeke y Jason todavía hablaban sobre los trabajos de verano, y Taylor, Kelsi Nielsen y Martha se habían unido a la conversación.

–Gabriella y yo hemos hecho cinco entrevistas de trabajo, pero siempre nos ganan los universitarios –dijo Taylor.

–Yo igual. –suspiró Martha–. Supongo que vuelvo al negocio de cuidar niños. Kelsi, ¿qué piensas hacer este verano?

Kelsi alzó la vista hacia Martha, que era un poco más alta.

–Crecer –dijo con ironía. Añadió lo que era obvio–: Escribir música. –Luego miró a Taylor, que era mucho más alta que ella, sacudió la cabeza y volvió a decir–: Crecer.

Gabriella casi había terminado de limpiar su armario cuando Troy apareció detrás de ella y la envolvió en un abrazo.

–Ha llegado tu consultor de actividades veraniegas –dijo, en broma.

Sobresaltada, ella miró a su alrededor, y él le sonrió.

–¡Yo! Después del campamento de baloncesto, veremos películas, bajaremos música, haremos un poco de karaoke, y estoy decidido a enseñarte un giro en el aire con el *skateboard*.

Ella se rió.

–Tengo la formación de la Cruz Roja, así que puedo curarme las heridas después.

Sharpay estaba lo bastante cerca para oír sus bromas e hizo un gesto de desdén.

–Eh, no llames al mal tiempo, calma –dijo Troy–. Mientras pasemos el verano juntos, todo va bien.

Gabriella le miró.

–¿Me lo prometes?

Él asintió, sacó un collar del bolsillo y se lo dio.

–Aquí tienes mi promesa.

Gabriella abrió los ojos de par en par de la sorpresa al ver la T que colgaba del collar. Al otro lado del pasillo, Taylor y Chad se dieron cuenta de lo que estaba pasando, y Chad, claro, tenía que hacer una broma. Fingió que le daba su pelota de baloncesto como regalo, pero ella le miró con desdén y se volvió para ver qué ocurría a continuación.

Por un momento, pensó que Troy iba a besar a Gabriella. Hasta que un par de chicas de primer año con la mirada resplandeciente se acercaron chillando para pedirle que les firmara los anuarios.

Mientras él, muy amable, les firmaba un autógrafo en los libros, Sharpay se volvió hacia Ryan.

–... ir a ver películas, escuchar música... y, por Dios, Troy, tengo la formación de la Cruz Roja, así que puedes enseñarme a ir en *skate* –dijo, en un tono falso de dulzura, imitando lo que acababa de oír. Luego, con su voz, añadió–: Lo que de verdad necesita es un producto nuevo para su díscolo pelo.

Vio a Kelsi junto a su armario, que miraba con tristeza a los demás Wildcats.

–Anímate, Kelsi, tengo un trabajo de verano para ti –dijo Sharpay–. Está claro que nuestro pianista de ensayos se muda.

–O se esconde –dijo Kelsi para sus adentros.

Sharpay entornó la mirada.

–¿Perdona?

Ryan vio las señales de aviso de que se avecinaba un verdadero arranque de furia e intervino enseguida que pudo.

—Calma, Sharpay. Es verano. Puedes hacer lo que quieras, todo cambia.

Al oír las palabras de Ryan, Sharpay volvió la cabeza con brusquedad, esta vez para lanzar a su hermano aquella mirada intensa de concentración que siempre le ponía tan nervioso.

—¿Qué he dicho? —dijo él con voz aguda.

—Tienes toda la razón, Ryan —dijo ella—. Después de lo que he pasado este semestre, merezco un verano especial.

Troy, Gabriella, Chad, Taylor y el resto de su grupo pasaron por al lado en dirección a la puerta principal. Sharpay los vio pasar, mientras meditaba.

—Ryan, ¿quién es el chico más popular de East High? —preguntó ella.

Ryan hizo un gesto de fastidio por la obviedad de la pregunta.

—Creo que Troy Bolton ha alcanzado esa categoría, ¿no crees?

—¿Y la chica más popular de East High? —continuó ella.

Ryan miró con cautela a Gabriella.

—¡Contesta a la pregunta! —exclamó Sharpay.

–Vamos, déjame pensar –dijo Ryan con todo el sarcasmo al que se atrevía–. ¿Tú?

Sharpay asintió con una enorme autosatisfacción.

–Troy... Sharpay. Sharpay... Troy –dijo ella, pensativa–. Tiene sentido.

–Está claro que para Troy no –comentó Ryan.

Pero Sharpay no le escuchaba. Estaba concentrada en la deliciosa conspiración que estaba empezando a formarse en su cabeza.

–Pero es verano, Ryan –dijo, sonriente–. Todo cambia.

A unos pasos, Kelsi sacó unas partituras del armario y miró pensativa a Sharpay. Pensó qué estaría tramando la diva de East High. Luego miró hacia el pasillo y vio cómo los Wildcats salían corriendo por la puerta principal al verano... ¡y la libertad!

CAPÍTULO DOS

Pasadas dos semanas, Troy, Jason, Zeke y Chad habían vuelto del campamento de baloncesto, pero eso no significaba que no jugaran cada segundo que podían. Una tarde, entraron en la cocina de los Bolton después de su entrenamiento.

El padre de Troy, el entrenador Bolton, les siguió y les lanzó botellas de agua.

—Lo que acabo de ver ahí fuera parece muy, muy fuerte, chicos —dijo—. El campamento les ha mejorado el juego.

Chad gritó:

—¿Qué equipo?

El resto le contestó con un grito:

—¡Los Wildcats!

Justo entonces, sonó el teléfono. Troy contestó. Al ver que se apartaba de sus amigos, Chad dijo:

—Oh, oh, novia a la vista.

Los otros chicos se rieron, pero Troy ya estaba en la habitación contigua. No era Gabriella. Era un hombre al que Troy no conocía, pero que parecía saber mucho de él.

—Soy Thomas Fulton del Lava Springs —dijo el hombre—. ¿Me han dicho que buscas un trabajo de verano?

—Eh, Troy, ¿Gabriella todavía se acuerda de tu nombre, o ha jugado en el karaoke con alguien distinto este verano? —gritó Zeke desde la cocina.

Cuando los chicos soltaron una carcajada, Troy les hizo una señal para que se callaran.

—Eso suena muy bien, señor Fulton —dijo—. ¿Pero cómo ha conseguido mi nombre?

—Siempre hemos tenido un programa de trabajo de verano para estudiantes en el Lava Springs —dijo, sin más. Un segundo más tarde, dijo—: Arriba los Wildcats.

14

«Bueno, está bien», pensó Troy. Pero si era un programa de trabajo de verano para estudiantes, tal vez había una manera de convertir aquella repentina oportunidad en algo más divertido...

–Hay una cosa –dijo–. Conozco a una chica brillante... quiero decir, estudiante... todo excelentes, y también busca trabajo, y sería perfecto si...

Siguió hablando, caminando por la habitación intentando vender al señor Fulton su idea genial.

–Mira, está comiéndole la cabeza a alguien –dijo Chad.

–No puede ser Gabriella –dijo su padre–. Cuando llama ella, se pone rojo enseguida. –Miró a los chicos y se arrepintió–. No he dicho nada.

Por fin Troy terminó. Satisfecho, colgó el teléfono.

–¿Qué pasa, amigo? –preguntó Chad.

–¿Cómo? –dijo Troy–. ¿Qué? Nada.

Con un manotazo le quitó la pelota de las manos a Chad y se la llevó por la cocina, lo que provocó el caos inmediato cuando todos fueron tras él.

–¡Eh, dentro de la casa no! –gritó el padre–. ¡La madre de Troy llegará enseguida, y nos matará a todos!

Se calmaron enseguida.

—Pero os voy a decir una cosa —añadió—, si están juntos este verano, y trabajan con ahínco el juego, el próximo otoño ganamos otro campeonato consecutivo.

—Cuenta con ello —dijo Troy, seguro de sí mismo.

Sus amigos le miraron, intrigados. Sabían que tenía un as en la manga, ¿pero cuál?

Su padre aprovechó su distracción momentánea para robar la bola. Enseguida la cocina se convirtió de nuevo en un caos, hasta que la pelota quedó atrapada en el aire y todos se volvieron a mirar...

Era la madre de Troy, sujetando la pelota y con su típica mirada de madre.

—¿Creen que podemos canalizar toda esta energía para entrar las bolsas del mercado? —preguntó, tranquila.

—Sí, señora Bolton —dijeron todos... incluido el entrenador Bolton.

El club de campo Lava Springs era un paraíso en la tierra... si eras socio. La sede del club brillaba por la pintura reciente. Gente morena y feliz estaba acomo-

dada en sillas bajo las sombrillas que rodeaban la piscina. En el patio, los socios disfrutaban de la comida a
la cálida luz del sol de un largo y precioso día veraniego.

Era el día perfecto... hasta que un descapotable con
una matrícula en la que se leía FABULUS entró por la
puerta principal. Subió ronroneando por la entrada
hasta el portal. Un empleado salió corriendo a salu-
dar a la conductora, que no era otra que Sharpay.

—Señorita Evans, señor Evans, tienen muy buen
aspecto este verano —dijo el empleado.

En el asiento del copiloto, Ryan inclinó su moder-
no sombrero a modo de saludo.

—Gracias, David —dijo Sharpay, con la combina-
ción justa de reserva y amabilidad—. ¿Podrías buscar
una sombra para nuestro coche?

Antes de que el empleado pudiera contestar, otra
voz dijo:

—Aunque tuviéramos que plantar un árbol, señorita Evans. —El señor Fulton avanzó un paso y añadió
con naturalidad—: Espero que sus vacaciones fueran
de su agrado.

Sharpay se encogió de hombros.

—Nueva York, para ir de compras y ver los espectáculos de Broadway. Siete días, ocho espectáculos, once pares de zapatos nuevos. Sin embargo, está bien volver... —Miró a su alrededor y sonrió satisfecha— ... a casa.

Ella y Ryan salieron del coche y caminaron con el señor Fulton hacia la sede del club. Sharpay saludó con gracia a otros socios del club y al personal mientras recorría la entrada. Una sensación cálida le invadió el corazón al ver que todos le devolvían el saludo. «Ahora sé cómo se siente la reina de Inglaterra cuando vuelve a su palacio de Buckingham», pensó.

Entonces algo le llamó la atención.

—¿Sería posible poner más color en estos jardines? —preguntó—. Estoy pensando en amarillos y azules.

El señor Fulton asintió enseguida.

—Precioso. —Hizo una señal a un jardinero y señaló el lugar.

Sharpay sonrió contenta. ¡Era tan agradable estar en un sitio donde la más mínima sugerencia que hiciera fuera considerada una orden que obedecer! «Ojalá el resto del mundo funcionara como el club de campo Lava Springs», pensó.

Cuando ella y Ryan entraron en el vestíbulo, Sharpay vio una vitrina. Estaba la foto de su padre, con una placa que decía «Fundador y Presidente del Club». También estaba la foto de su madre, con una placa que decía «Directora del Comité de Socios».

Al lado había trofeos relucientes que celebraban los triunfos de los Evans en competiciones de natación, submarinismo, tenis, golf y bailes de salón celebradas en el club de campo.

Desvió la mirada hacia un gran cartel que anunciaba el próximo gran acontecimiento social del club: ¡CONCURSO ANUAL DE VERANO DE TALENTOS Y ESTRELLAS DESLUMBRANTES DE LAVA SPRINGS! ¡HAGAN YA SUS RESERVAS!

El señor Fulton señaló un montón de programas que había sobre la mesa de recepción.

—Este año hemos serigrafiado las entradas para el espectáculo.

—Genial —contestó rápidamente Sharpay, y empezó a poner autógrafos en las entradas—. Tengo intención de limitar las audiciones de talentos de los socios a treinta segundos cada una. Los artistas aficionados son muy...

—¿Agotadores? —El señor Fulton completó la frase, servicial—. Lo entiendo.

—Y si tuviera... —Ella se detuvo y enseguida incluyó a Ryan en su afirmación— ... tuviéramos la suerte de volver a ganar el premio Estrellas Deslumbrantes...

—Tenemos la intención de ampliar la vitrina de trofeos —dijo el señor Fulton—. Tengo esbozos en mi oficina.

Ella le sonrió, satisfecha. ¡El señor Fulton era todo un tesoro!

—Eres tan eficaz... —dijo, zalamera.

Pensó que parecía que aquel verano iba a ser el mejor de todos. De momento, todo iba según el plan. Sólo le quedaba otro detalle del que ocuparse.

—¿El asunto del personal que comentamos...? —le susurró al señor Fulton.

—Resuelto, con discreción —le aseguró él.

—Estupendo... —dijo ella. Luego se dirigió al vestuario. Era el momento de activar la siguiente fase de la Operación Verano Perfecto.

CAPÍTULO TRES

Unos minutos más tarde Sharpay salió del vestuario con un traje de baño precioso, una faldita muy mona y unos accesorios espectaculares. Llevaba una sombrilla de colores llamativos y un bolso con la crema solar, el móvil, maquillaje, sandalias y varias revistas.

Oyó saludos sin aliento, se dio la vuelta y vio a tres chicas llamadas Jackie, Lea y Emma corriendo. Parecían encantadas de haberla visto.

Una voz por detrás de Sharpay dijo:

—¿Su tumbona en el sitio de siempre, señorita Evans?

Se dio la vuelta y vio al asistente de la piscina que revoloteaba cerca de ella.

—Estupendo, Javier —dijo ella—. Emma y Jackie al oeste de mí, Lea al este. Y serías todo un caballero si colocaras nuestras tumbonas según la hora, a medida que se vaya moviendo el sol.

Él sonrió.

—Gracias a las amables palabras de su madre la temporada pasada, me han ascendido, pero haré que el nuevo guardavidas reciba instrucciones precisas sobre sus deseos —le aseguró.

Sharpay se sentó al tiempo que se imaginaba como una reina que ocupa su trono. Sus asistentes, es decir, sus amigas, estaban reunidas a su alrededor.

—¿Entonces cuál es el tema del concurso de talentos de verano, Sharpay? —preguntó Emma con entusiasmo.

Sharpay hizo una pausa dramática, luego dijo una sola palabra:

—Redención.

Las chicas intercambiaron miradas de confusión, luego Lea habló por todas.

—¿Cómo?

Sharpay suspiró. ¿Cómo podía explicar lo que había sido el último año?

Decidió decir:

—Ha sido un año muy... difícil, chicas. —Un momento después, reunió fuerzas y continuó—: Mi departamento de teatro fue invadido por desconocidos, cantantes que salían del laboratorio de química y del vestuario.

—Ya pasó, Sharpay —dijo Ryan. Había salido del vestuario a tiempo para oír su última queja—. Es verano, ¿recuerdas? Tenemos la piscina y el club, y todo el verano para disfrutarlo.

—Y han reformado el balneario —comentó Emma.

—Hay un tratamiento facial con aguacate y unas friegas corporales con algas en la carta —añadió Jackie.

—Es ideal —suspiró Lea, contenta.

—Oh, ¿de verdad? —dijo Sharpay. Al fin y al cabo nada era nunca del todo perfecto. Frunció el ceño ante su vaso, luego lo levantó para llamar la atención del camarero—. Más hielo, por favor.

¡Si no del todo perfecta, la vida en el club de campo de Lava Springs era fantástica! Y las chicas se dieron cuenta de que acababa de mejorar. Un chico muy guapo iba hacia ellas. Se ajustaron las gafas de sol para ver mejor. Al ver quién era, intercambiaron miradas de sorpresa... todas menos Sharpay, claro.

El chico no era otro que Troy Bolton, que llevaba una bandeja de bebidas por el borde de la piscina. Sharpay sonrió para sus adentros... hasta que vio a Chad, Jason y Zeke que se dirigían a la zona de la piscina guiados por el señor Fulton. Su sonrisa se desvaneció. ¿Qué estaba pasando?

¡Y Troy ni siquiera había advertido su presencia! Sharpay se volvió para seguir su mirada... ¡y vio a Gabriella, preciosa con su traje de baño de guardavidas y el pelo ondeando en la brisa!

Sharpay se quedó boquiabierta. Se levantó y retrocedió un par de pasos, indecisa. ¡Mirara donde mirara, sólo veía Wildcats! Era... ¡DEMASIADO! Aturdida, dio otro paso atrás y... ¡CHOF!

Sharpay se movía con torpeza en el agua, chapoteaba, con la esperanza de que sólo fuera un horrible sueño y que en cualquier momento despertara...

Un brazo la agarró del cuello y la sacó al borde de la piscina. Entre jadeos, Sharpay se dio la vuelta y vio a

Gabriella, que se había lanzado al agua al ver a Sharpay en apuros.

—¿Qué estás haciendo aquí? —gritó Sharpay.

—Soy la nueva guardavidas —le explicó Gabriella.

Troy parecía confuso.

—¿Eres socia? —le preguntó a Sharpay.

Sharpay soltó un bufido. ¿Que si era socia? ¿Que si era socia? ¡Si el club de campo de Lava Springs tuviera una familia real, ella sería la princesa!

¡Y en esos momentos era una princesa muy enfadada!

—¡Te pedí que contrataras a Troy Bolton, no a todo el cuerpo estudiantil de East High! —gritó Sharpay. Tenía al señor Fulton contra la pared. Ryan estaba a su lado, y parecía realmente indignado.

—Troy Bolton insistió en que la señorita Montez tuviera un trabajo —dijo al fin el señor Fulton—. Tiene el certificado de la Cruz Roja, ya sabe.

—¡Eso ya me ha quedado muy claro! —gritó airadamente Sharpay. No estaba segura de recuperarse jamás de la humillación de haber sido rescatada por Gabriella.

—Y Troy fue muy convincente con sus compañeros de equipo —continuó el señor Fulton—. Dijo algo de trabajar juntos y ganar juntos.

Sharpay hizo un gesto de desdén.

—Bla, bla, bla.

—Me dijo que contratara a Troy Bolton costara lo que costara —le recordó el jefe—. Bueno, pues eso costó.

—¿Por qué no me avisaste del resto? —gimió ella.

El señor Fulton se puso tenso.

—Comenté el asunto con la junta directiva del Lava Springs, por supuesto.

—La junta... —Ryan desvió la mirada del señor Fulton a Sharpay, y se quedó boquiabierto a medida que iba asumiendo la verdad—. Quieres decir nuestra...

—¡Madre! —gritó Sharpay.

No tardaron mucho en encontrar a la señora Evans. Estaba en la clase de yoga, haciendo la posición del perro boca abajo. Sharpay y Ryan adoptaron la misma postura para hablar con ella.

—Pensé que sería una bonita sorpresa, cariños —dijo la señora Evans—. Cuando el señor Fulton me informó de que Troy Bolton quería que trabajaran más Wildcats aquí, pensé que sería fantástico.

—¿Fantástico? —Sharpay estaba indignada.

Su madre cambió de posición, y Sharpay y Ryan hicieron lo mismo.

—Piensa en el futuro, cariño —dijo la señora Evans—. Ellos son amigos, no como los estirados socios del Lava Springs.

Sharpay recordó que no era correcto gritar en medio de una clase de yoga.

—¡No son mis amigos! —dijo lo más alto que se atrevió—. ¡Me robarán mi espectáculo de verano!

Su madre sonrió con serenidad (el yoga le ayudaba mucho a tratar con Sharpay).

—¡Y el talento natural que tú tienes para tu espectáculo de Estrellas Relucientes!

Sharpay olvidó su promesa de tener buenos modales en la clase de yoga.

—Mamá, ¿has oído lo que acabo de decir? —gritó. Frustrada, se volvió hacia su hermano—. Ryan, habla con mamá.

Ryan, obediente, se retorció hasta lograr una nueva posición para sonreír a su madre.

—Hola, mamá.

Ella le devolvió la sonrisa.

—¡Chiquitín! ¿Cómo está mi niño espabilado? —Hizo un gesto hacia Sharpay—. Dile a la niña que si se preocupa demasiado le saldrán arrugas.

Sharpay salió de la clase indignada. ¡Si su madre no arreglaba la situación, lo haría ella misma!

El señor Fulton estaba caminando por el pasillo junto al balneario cuando Sharpay, muy enfadada, lo apartó a un lado.

—¡Quiero que se vayan! —ordenó.

El señor Fulton suspiró.

—Su madre dijo concretamente...

—¡No me hables de esa chismosa adicta al yoga! —dijo Sharpay. Se paró a pensar un momento, luego sugirió—: Si no puedes despedirles, hazles venir ganas de dejar el trabajo.

Él reprimió un gruñido.

—En realidad —le explicó—, necesitamos su ayuda.

Sharpay vio que esta vez no se saldría con la suya... por lo menos no del todo. Pero todavía podía ganar la batalla, aunque no ganara la guerra.

—Bueno, si creen que trabajar aquí va a ser como un campamento de verano —dijo con la voz acerada—, se van a llevar una sorpresa.

Los recientes empleados de Lava Springs estaban de pie en la cocina, esperando para empezar su trabajo. Miraban sus uniformes e intentaban recordar por qué querían un trabajo de verano. Ah, sí... para ingresar algo de dinero en el banco.

Sin embargo, sobre todo uno de los Wildcats estaría contento de estar allí aunque no ganara nada.

—El cocinero Michael me va a enseñar el arte de la repostería austríaca, y Sharpay estará donde trabajo —dijo Zeke—. ¿Cómo podía mejorar el verano?

Chad hizo una mueca.

—Un sueño hecho realidad.

Zeke le miró muy serio.

—Si la conocieras de verdad, es...

—Colega, pasa de mí.

—Eh, no tenía ni idea de Sharpay —dijo Troy enseguida—. El señor Fulton sólo dijo que había aficionados de los Wildcats en Lava Springs y trabajos disponibles. Así que vamos allá.

De pronto, apareció de la nada el señor Fulton. Les miró con severidad.

—Cierto, porque sus trabajos serán fugaces si siguen tratando su empleo como si fuera un descanso.

Chad se ofendió.

—¿Descanso? Señor, ya estamos en el instituto.

El señor Fulton se rio con ironía.

—¿Como indica ese juguetito que al parecer llevan a todas horas?

Confuso, Chad se miró las manos. Ah.

—Es una pelota de baloncesto, señor —le explicó.

—Más conocida en Lava Springs como un objeto de esparcimiento no aprobado —dijo el señor Fulton, al tiempo que le quitaba la pelota a Chad. Lanzó unos uniformes a los Wildcats y les cantó sus puestos—. Danforth y Bolton, camareros, y, cuando se necesite, llevarán los palos de golf. Jason, fregaplatos. Señorita MacKessie, me han dicho que es usted eficiente...

Ella le sonrió cuando el señor Fulton le dio un portapapeles.

—Gestionará las actividades de los socios. Tendrá que tenerme siempre a la vista. Kelsi, piano durante la comida y la hora del cóctel. Eso significa música ambiente, no moderna. ¿Queda claro? Martha, tro-cear, cortar y preparar platos. Por favor, acabe el verano con la misma cantidad de dedos que supongo que tiene en la actualidad. Zeke, usted ayudará al cocinero Michael en...

Cuando el cocinero sacó bandejas de bizcochos recién hechos, Zeke dijo con alegría:

—La tierra prometida.

En ese momento, Gabriella entró presurosa en la cocina. El señor Fulton miró el reloj y levantó una ceja.

—Eh, señor Fulton, Excelencia, señor, ¿le va bien que nos juguemos quién debe esperar a Sharpay? —preguntó Chad en tono inocente.

—De ahora en adelante, ninguno de ustedes esperará a Sharpay.

—¡Lástima! —sonrió Chad.

El señor Fulton continuó, glacial.

—Servirán a la señorita Evans.

Jason parecía confuso.

—¿Qué significa eso?

El señor Fulton suspiró. Hacía tantos años que formaba a estudiantes de secundaria, y le quedaban tantos veranos antes de poder jubilarse... A veces aquella idea le hacía sentirse cansado.

–Diríjanse siempre a nuestros socios como señor, señora o señorita. Practiquemos –sugirió. Se colocó frente a Jason y fingió que le estaba esperando–. Señorita Evans, ¿le apetece una limonada?

–En realidad no soy la señorita Evans –dijo Jason, que se sentía aún más confuso–. Soy Jason.

Taylor susurró a Gabriella.

–Va a ser un largo verano.

El señor Fulton miró a Chad.

–Señor Danforth, haga uso de su habilidad «de instituto» para hacernos una demostración del protocolo del socio. Señorita...

Chad apretó los dientes y dijo:

–... Evans... ¿más limonada... belleza real?

El señor Fulton decidió que eso tendría que ser suficiente. Se colocó frente a sus nuevos empleados de verano y dijo:

–Sean puntuales. Tres infracciones de cualquier tipo y se habrán quedado sin trabajo. –Miró a Gabriella y volvió a consultar el reloj–. Me parece que su pausa terminó hace minuto y medio, señorita Montez. Espero que no se haya ahogado ningún socio en su ausencia.

Se dio la vuelta y salió de la cocina lo antes posible.

–Bueno... ese hombre me da miedo de verdad –dijo Martha.

Chad asintió.

–De repente echo de menos a la señora Darbus –admitió–. ¿Eso es muy grave?

Troy pensó que era el momento de que todos se concentraran en lo positivo.

–Chicos, hay una canasta en la parte trasera, nos dan dos comidas gratis al día y sólo llevamos estos uniformes cuando estamos trabajando. Todos para uno, y uno para todos. Vamos, es nuestro verano.

Todos se animaron.

–¿Qué equipo? –gritó Chad.

–¡Los Wildcats! –le contestaron todos.

Un segundo después, Jason hizo la pregunta que le había estado intrigando un tiempo.

–¿Alguien sabe qué significa «de ahora en adelante»?

CAPÍTULO CUATRO

Los compañeros Wildcats de Sharpay tenían mucho trabajo que hacer, y el señor Fulton no se lo ponía fácil. Tenían que limpiar mesas del comedor en cuanto terminara una comida, llevar los platos sucios a la cocina, empujar el carrito de las bebidas por todo el club, recoger las toallas usadas y en general ayudar siempre que les necesitaran, rápido y con una sonrisa.

El señor Fulton les observaba con atención y los corregía siempre que cometían un error.

Si Chad era demasiado lento limpiando las mesas, el señor Fulton le decía que se diera prisa.

¿Y cuando Gabriella no veía una toalla que habían dejado debajo de un arbusto junto a la piscina? El señor Fulton le decía que «asegurara el perímetro» buscando por todas partes sandalias perdidas, toallas usadas y botellas de agua abandonadas.

Pero cuando el señor Fulton les volvía la espalda, los Wildcats sabían divertirse.

Si Troy tenía que llevar vasos sucios a la cocina, se daba una vuelta en el carro después de vaciarlo.

Si Chad tenía que llenar una docena de paneras, empujaba los panecillos de la comida por la cocina con unas tenazas.

Era divertido, pero también agotador. Al final de otra larga jornada de trabajo, Gabriella entraba despacio en la sala de empleados con los brazos cargados de toallas usadas. Las dejaba caer en el cubo de la lavandería y deslizaba su tarjeta de empleada en el reloj para marcar la salida.

Vio una mano por encima del hombro que sujetaba otra tarjeta de empleado. Se dio la vuelta y vio a Troy, que la miraba.

—¿Has estado alguna vez en un campo de golf? —preguntó.

–Somos empleados, Troy, no socios –le recordó ella–. Y yo no juego al golf.

Él levantó las cejas.

–¿Quién ha hablado de jugar a golf?

Cuando salieron al campo de golf, Gabriella vio que Troy había preparado un picnic bajo las enormes sombras de los árboles en la pista.

Ella miró alrededor, nerviosa.

–¿Estás seguro de que está bien que estemos aquí fuera?

–A menos que nos asalten las liebres –dijo él, con una sonrisa.

Gabriella se rió, sintiéndose contenta y relajada por primera vez en todo el día.

Pero en ese preciso instante, Sharpay y Ryan estaban en el tejado del club de campo.

Sharpay abrió una bolsa de mano que tenía compartimentos para largavistas, transistores y una cámara digital. Frunció el ceño al ver a Troy y Gabriella con los largavistas.

–No tengo ni idea de qué ven en ella –dijo con los dientes apretados.

—Cuesta imaginarlo —admitió Ryan—. Desde que llegó a East High, ha actuado en el musical de invierno, ha ganado el decatlón académico, se ha hecho amiga de todo el instituto y sale con el chico más popular de Albuquerque.

Sharpay sacudió fuertemente la cabeza con cara de repugnancia.

—Lleva los colores del año pasado.

—Y el picnic es una actividad no permitida en el campo de golf —añadió Ryan.

Pero Sharpay no le escuchaba.

—Soy una excelente estudiante... si no tenemos en cuenta matemáticas, ciencias, ciencias sociales e historia. He ganado cinco veces el Estrellas Deslumbrantes, tres insignias «al peinado más innovador» de las Girl Scouts y voy muy a la moda. Hace tres años que estoy en el East High, y ella lleva ahí cinco minutos. ¿No es evidente que Troy Bolton merece estar conmigo? —Le dio los largavistas.

—No sé por qué, no parece que sea su plan más inmediato —comentó Ryan.

—Sus planes están a punto de cambiar —exclamó Sharpay.

En el campo de golf, Gabriella no era consciente de que ella y Troy estaban siendo observados. En cambio, disfrutaba de una tarde de verano perfecta con Troy.

—¿Cómo va el trabajo en la cocina? —preguntó ella.

—El equipo que friega unido, gana unido —dijo Troy.

Gabriella asintió.

—Mi madre dice que los trabajos de verano dan buena impresión en las solicitudes para la universidad.

—Todo forma parte de esa idea terrorífica que es «el futuro» —dijo Troy, triste.

Ella le miró intrigada.

—Pareces preocupado.

—Bueno, la universidad cuesta una fortuna —dijo Troy—. Mis padres están ahorrando hasta el último céntimo. No como la gente de este sitio.

—Seguro que te dan una beca —dijo ella.

Él se encogió de hombros.

—No puedo confiar en eso. Si soy bueno o no sólo depende de la próxima temporada.

—Hagamos que el futuro no empiece hasta septiembre —dijo Gabriella—. Nunca he estado todo un verano en un sitio, Troy, y seguro que nunca con...

Se paró, sintiendo vergüenza de repente.

—¿Un ... fabricante de bocadillos con un don supremo como yo? —dijo Troy para rescatarla.

Ella sonrió.

—Quiero recordar este verano —contestó ella con ternura.

Él se levantó de un salto, la ayudó a ponerse en pie y empezó a bailar con ella bajo la luz cálida del atardecer. Gabriella se reía mientras él la inclinaba hacia atrás, la subía y la hacía girar.

Y, de momento, el brillo del presente les hizo olvidar el futuro.

Por supuesto, ese brillo no podía durar. No si Sharpay tenía algo que ver.

El señor Hardy, uno de los trabajadores de mantenimiento del club, acababa de ponerse en pie cuando le sonó uno de los transmisores.

Suspiró y atendió.

—Señor Hardy, soy Sharpay Evans —dijo ella con aspereza—. Hoy, cuando he ido a la cuarta calle parecía... completamente seca. ¿Podría mojarla un poco?

—Enseguida, señorita Evans —dijo él, contento de que no le pidieran algo más duro. Apretó algunos botones y se volvió a sentar, dispuesto a recobrar algo de calma y tranquilidad.

El baile de Troy y Gabriella acababa de terminar. Estaban uno frente al otro, inclinados, a punto de besarse... ¡cuando una docena de potentes aspersores entraron en funcionamiento y les empaparon del todo!

Se rieron al salir corriendo. Se lo estaban pasando igual de bien que cuando eran pequeños y corrían entre los aspersores del césped.

Sharpay frunció el ceño al ver que su broma pesada había fracasado.

—Eso parece divertido —dijo Ryan, apenado.

Sharpay bajó los largavistas.

—¿Sí? —dijo, despacio, al tiempo que le venía una idea a la cabeza.

Tomó el teléfono y marcó un número.

Pasados unos segundos, sonó el teléfono del señor Fulton. Al ver quién llamaba dio un respingo, pero hizo lo que debía. Contestó el teléfono.

—Esto es un club privado, no un parque acuático —reprendió el señor Fulton a Troy y Gabriella, que

40

estaban frente a él empapados−. Estamos para servir a nuestros socios. Los empleados deben recordar cuál es su lugar, ¿queda claro?

Troy y Gabriella asintieron con docilidad.

El señor Fulton clavó su mirada penetrante en Gabriella.

−Hoy ha vuelto tarde de la pausa, luego se divierte en el campo de golf. No es un comienzo muy prometedor, señorita Montez.

Sharpay observó la reprimenda con los largavistas y le dijo a Ryan:

−Tenles vigilados mañana y mantenme al corriente.

−¿Por qué sonríes? −preguntó Ryan con cautela−. Me estás asustando.

Sharpay se limitó a sonreír.

−No hay por qué preocuparse, Ryan. Es nuestro club, ¿recuerdas?

CAPÍTULO CINCO

A primera hora del día siguiente, Kelsi fue al comedor del club de campo y empezó a cantar la canción que había compuesto.

En la sala de empleados, Troy y Gabriella oyeron la música al fichar para entrar a trabajar. Se miraron y fueron hacia el comedor. Ryan entró en la sala, pero al ver quién estaba allí, se escondió tras una planta en una maceta. Al escuchar a Kelsi tocar, empezó a parecer preocupado. La canción era preciosa.

—¡Uau, suena bien, Wildcat! —dijo Gabriella.

Kelsi enseguida dejó de tocar y tapó la partitura.

–En realidad tengo que prepararme para la merienda de bridge de las señoras. No será muy emocionante. –Miró a sus amigos y añadió, exaltada–: Nos lo pasaremos bien en el concurso de talentos del club, porque los empleados hacen un número y tengo ideas para todos... Vosotros, chicos, cantarán primero, y Zeke y Chad y todos pueden hacer los coros, y a lo mejor bailar también, y...

Tras la palmera en una maceta, Ryan susurró en el transistor:

–Garganta Dorada, aquí Chico del Sombrero. Puede que tengamos problemas.

Sharpay y su madre estaban en el balneario, con la cara untada de aguacate. Cuando Sharpay oyó a su hermano en el transistor, levantó una ceja. Muy interesante...

De nuevo en el comedor, Troy levantó las manos para parar a Kelsi.

–¿El concurso de talentos del club? ¡Para, para! –dijo–. Párate un rato ahí. Mi carrera de cantante empezó y terminó con el musical de invierno del East

High. Sólo estoy aquí para hacer dinero y meterme en la piscina después de trabajar.

Kelsi se puso triste.

—Ah.

Ryan sonrió. Pensó que Sharpay se sentiría aliviada al oírlo cuando salía del comedor.

Troy miró a Gabriella. Ella le apoyaría en eso, ¿verdad?

Gabriella le preguntó a Kelsi:

—¿Qué canción era la que tocabas hace un momento?

—Ah... nada. —Kelsi se encogió de hombros—. En realidad no es... nada.

Gabriella tomó la partitura y le dio la vuelta. En la parte superior de la página estaba escrito «La canción de Troy y Gabriella». Con las cejas levantadas, dijo:

—¿De qué va esto?

Kelsi parecía avergonzada.

—Pensaba que si ustedes dos hacían un espectáculo el año que viene en el instituto... ya saben ... quería estar preparada.

Cuando Ryan estaba fuera junto a la piscina, llamó a su hermana por el transistor.

—¿Quieres las malas noticias o las buenas?

—¡Escúpelo ya, Ryan! —exclamó Sharpay, mientras una esteticista le ponía rodajas de pepino en los ojos. Dio un sorbo a su batido—. ¡Estoy ocupada!

—He oído a Kelsi trabajar en una nueva canción increíble, y no la ha escrito para nosotros —susurró—. Pero la buena noticia es que Troy ha anunciado que no quiere tener nada que ver con nuestro espectáculo Estrellas Deslumbrantes.

Gabriella miraba a Troy mientras le decía a Kelsi:

—Bueno, ¿podemos por lo menos oír la canción en la que estás trabajando? Lleva escrito nuestro nombre...

Kelsi dudaba, así que Gabriella se acercó y tocó las primeras notas. Con eso fue suficiente. Kelsi se sentó y empezó a tocar.

Unos segundos después, Kelsi estaba tocando con una concentración tan absoluta que ni siquiera se dio cuenta cuando el resto de Wildcats asomaron la cabeza desde la cocina para escuchar.

Sin embargo, cuando acabó de tocar sí oyó algo: un fuerte aplauso cuando sus amigos entraron corriendo en el comedor.

—Uau, me encanta esa canción —dijo Gabriella.

45

—Tengo la hoja de inscripción en concurso de talentos aquí mismo —dijo Taylor—. El personal de la cocina dice que es muy divertido. ¿Qué dicen?

Todo el mundo hizo un gesto de aprobación, pero miraron a Troy. ¿Qué diría?

—Bueno, supongo que podríamos crear algo llegado el caso —dijo—. Pero tenemos que salir todos.

Kelsi firmó la hoja de Taylor mientras el resto de Wildcats chocaban los cinco.

Sharpay dio un sorbo a su batido.

—He estado pensando, Ryan, que en realidad podría ser buena idea que Troy participara en nuestro espectáculo.

Ryan frunció el ceño.

—Pero si canta con Gabriella, nuestro concurso de talentos será...

—Ah, no estoy segura de que Gabriella sea la persona ideal para ayudar a Troy a sacar todo su potencial aquí, en Lava Springs —dijo con naturalidad. Se volvió hacia su madre—. Mamá, ¿a qué hora llega papá?

—Salimos a mediodía —contestó su madre—. ¿Vienes con nosotros?

–Estupendo –dijo Sharpay. Se quitó un pepino de la cara y se lo comió haciendo ruido.

Ese mismo día más tarde, los Wildcats estaban ocupados en la cocina. Martha estaba troceando verdura, Zeke horneando y Troy y Chad ponían comida en un carrito de servir. Sólo Kelsi tenía un poco de tiempo libre, así que estaba practicando música sobre uno de los mostradores.

De repente apareció el señor Fulton con dos trajes blancos. Se los lanzó a Troy y Chad y ordenó:

–Danforth, Bolton, hoy llevarán palos de golf. Cuarenta dólares cada bolsa. Han solicitado sus servicios.

–¿Quién? –preguntó Troy.

–¿Qué más da? –dijo Chad, encantado–. Por cuarenta dólares se los llevaría a Godzilla.

–Ésa es la actitud –dijo el señor Fulton.

Troy y Chad caminaron hasta el primer soporte y vieron a Sharpay y Ryan esperando.

–¡Eh, chicos! –dijo Sharpay, contenta–. Bueno, Troy, he pensado que era el momento de que conocieras a mis padres.

Troy se estremeció. «Conocer a los padres» sonaba a algo que hacían los novios. Aun así, sonrió con educación y le dio la mano a la madre de Sharpay.

Miró alrededor.

—Entonces... ¿dónde está tu padre?

Como si estuviera preparado, una limusina larga entró en el aparcamiento. Un hombre con ropa de golf cara salió y se dirigió hacia ellos.

—¿Dónde está el primer hoyo y cuál es el récord del campo? —Vio a los chicos que le miraban atónitos y se rio—. Era broma... Yo construí el campo y tengo el récord. Pero ¿quién cuenta?

Dio un fuerte abrazo a Sharpay y una palmada en la espalda a Ryan. Luego se volvió hacia Troy y Chad.

—Bueno... han hecho una buena temporada, chicos.

—Troy jugaba también en el equipo de golf, papá —dijo Sharpay con dulzura.

Su padre parecía impresionado.

—Un chico versátil. —Y le preguntó a Chad—: ¿Y tú, hijo?

—Atletismo —dijo Chad.

La señora Evans se rio.

–Puede que hoy nos sea útil, tal y como juego yo al golf. Quien avisa no es traidor.

Sharpay sonrió al darle a Troy la bolsa de su padre. El encuentro no podía haber ido mejor si ella hubiera escrito el guión, aunque en cierto modo lo había hecho.

Su madre empezó el juego y envió la pelota a las rocas que delimitaban el campo. Entonces su padre dio el primer golpe. La pelota de golf navegó en el aire. El juego había empezado.

Sharpay subió a su carro y se movió por el césped. Tenía su propio carro de golf, claro. Era rosa y llevaba incluido un DVD, una nevera portátil y una batidora.

Enseguida el señor Evans estaba pidiendo consejo a Troy antes de cada golpe. En el noveno hoyo, Troy calculó la extensión de tierra, y luego dijo:

–Uno cuarenta y tres hasta el pitón, pendiente hacia abajo, césped elevado. Yo lo haría con el palo siete, señor.

El señor Evans balanceó su palo de golf. Observó cómo la pelota surcaba el aire y aterrizaba justo al lado de la bandera.

–Buen consejo, hijo –dijo–.

Sharpay aplaudió. Troy sonrió con modestia y luego buscó a Chad con la mirada, que estaba metido hasta las rodillas entre las zarzas, buscando una pelota que Ryan había lanzado al bosque. Cuando una rama casi le dio en la cara, decidió que nunca volvería a quejarse por fregar los platos.

En ese momento, Sharpay le dio a su pelota de golf. Chad y Troy tuvieron que agacharse para que no les diera en la cabeza.

—¿Por qué no te dedicas a hacer punto, Sharpay? —sugirió Chad—. Así sólo podrías hacerte daño tú.

A medida que pasaba el día, a Troy le sorprendía ver que en realidad se lo estaba pasando bien. Hacía sol, y le gustaba ayudar al señor Evans a jugar bien. Si Sharpay y su ridículo carro rosa no estuvieran allí, habría sido perfecto.

Cuando él y el señor Evans pasaron caminando al lado de la sede del club de camino al hoyo siguiente, miró la valla que rodeaba la piscina. Vio a Gabriella sentada en su puesto de guardavidas y dijo:

—¿Cenamos hoy? ¿Luego un baño a escondidas?

Ella asintió contenta, pero, al ver que volvía con la familia Evans, su sonrisa se apagó. Sharpay le dio a

Troy una bebida fresca. Incluso de lejos, Gabriella veía que estaba coqueteando con él... ¡y Troy estaba sonriendo!

Gabriella pensó que él tenía que ser amable con ella, intentar ser agradable. Era su trabajo.

Aun así, le dio un pequeño vuelco el corazón al verles caminar por el césped.

Cuando la partida de golf hubo avanzado muchos más hoyos, Sharpay sugirió:

—Papá, ¿por qué no le dejas probar un golpe a Troy?

El señor Evans estaba tan impresionado por los consejos de golf de Troy que aceptó sin dudar.

Troy golpeó la pelota hacia el césped, y todos los Evans aplaudieron. En ese momento, Troy notó un cambio. Ya no era el portador de palos que trabajaba para la familia Evans. Ahora era otro jugador que jugaba con ellos.

Sharpay avanzó con su carro de golf para recoger a Troy.

Chad tuvo que arrojarse al suelo, esta vez para que no le atropellaran.

—Estoy ahorrando para un coche, ahorrar para un coche... —se murmuró a sí mismo.

Troy dio otro gran golpe, y la familia Evans soltó exclamaciones de asombro.

—¡Tiger Woods se habría sentido orgulloso de dar ese golpe! —exclamó la señora Evans.

—Desde luego —dijo Sharpay, y añadió con naturalidad—: Y qué lastima que una gran estrella de los deportes en potencia para los Redhawks de la Universidad de Albuquerque esté fregando platos en la cocina.

Su padre mordió el anzuelo.

—¿Tienen a Troy trabajando en la cocina? —preguntó, sorprendido.

Troy dio otro golpe. La pelota blanca voló en el cielo dibujando un arco largo y elegante.

El señor Evans observó el golpe perfecto y dijo:

—He visto a Troy jugar a baloncesto. Estoy seguro de que los Redhawks estarán interesados en su futuro.

Chad lanzó una mirada de intriga a Sharpay. «¿Qué está tramando?», pensó.

—Eso es genial, papá —dijo ella con dulzura—. Troy está muy preocupado con la universidad.

Su padre le sonrió, satisfecho. Ella le devolvió la sonrisa, aún más satisfecha. Todo iba según su plan.

CAPÍTULO SEIS

Más tarde, Chad estaba sentado en la cocina, con los pies magullados en un cubo lleno de hielo.

—La próxima vez que vea a la princesa del club de campo, la lanzaré a la piscina —prometió.

El señor Fulton entró en la cocina y le hizo una mueca de disgusto.

—Señor Danforth, esto es una cocina, no un salón de belleza. Usted y Jason prepárense para el turno de la comida en el comedor. —Le dio a Troy una chaqueta de uniforme y una corbata azules—. Bolton, tiene cinco minutos para cambiarse y venir conmigo.

Sorprendido, Troy siguió al señor Fulton hasta la puerta.

—¿Qué pasa con la corbata y la chaqueta? —preguntó.

—A lo mejor es un arresto versión club de campo —sugirió Jason.

Los demás parecían preocupados. No sabían por qué le exigían a Troy que se vistiera con tanta formalidad, pero sabían que probablemente significaba problemas.

El señor Fulton llevó a Troy, ahora bien vestido con chaqueta y corbata, al comedor, donde Sharpay y su padre estaban sentados con otros socios del club. Chad y Jason empezaron a servir té con hielo a la mesa cuando el señor Evans dijo:

—Hablemos de tu futuro, Troy.

Troy le miró, confuso.

—¿Mi... futuro?

—Papá está en la junta directiva de la Universidad de Albuquerque —le explicó Sharpay.

—Sí, tenemos mucho de que hablar —dijo el señor Evans—. Pero primero... —Se volvió hacia Chad y Jason—... ¡que traigan la comida!

Sí, los Wildcats estaban contentos de tener trabajo.

Sí, todos necesitaban ahorrar dinero para la universidad.

Y sí, todos deberían haber estado trabajando en ese preciso instante.

Pero estaban preocupados por Troy. Cuando Chad y Jason empujaron los carritos de comida hacia la mesa de Troy, los demás miraban a escondidas el comedor desde la puerta de la cocina.

—¿Qué le están haciendo? —preguntó Martha en un susurro.

Zeke se encogió de hombros.

—Quién sabe, pero ese *foie* envuelto en panceta con vieiras de bahía flambeadas tiene una pinta increíble —comentó.

—Miren, Troy está intentando averiguar qué tenedor debe utilizar —dijo Kelsi.

Como si lo hubiera oído, Sharpay atravesó una bola de melón con su tenedor y se la dio a Troy.

—Problema resuelto —dijo Taylor con amargura.

Mientras Chad y Jason servían la comida, oyeron que un socio le decía a Troy:

—Vi tu juego en el campeonato. Uau, ese tiro cuando sonaba el timbre...

Troy cruzó la mirada con Chad. Enseguida dijo:

—Si mis compañeros de equipo no hubieran robado la pelota, ni siquiera habría tenido la oportunidad de...

—Oh, eres demasiado modesto Troy —intervino Sharpay—. Te eligieron mejor jugador de toda la temporada. —Se inclinó, le recolocó la corbata y dijo—: Esta camisa está pidiendo a gritos un nudo Windsor.

—¿Un qué?

¡Troy no se lo podía creer! ¡Le estaba vistiendo delante de toda esa gente! ¡Nunca se había sentido tan humillado en su vida!

Gabriella se unió a sus amigos en el umbral de la puerta.

—¿Qué hace? —preguntó.

—Le coloca bien la corbata —supuso Kelsi.

—O le está estrangulando —añadió Taylor, sombría.

—¿De qué hablan? —preguntó Gabriella justo cuando Chad pasaba por su lado con otra bandeja.

—De cómo Troy solo salvó a todo el planeta —dijo, con sarcasmo.

Justo entonces oyeron golpecitos de un pie por detrás, se dieron la vuelta y vieron... ¡al señor Fulton! Rápidamente, se dispersaron a sus trabajos. Por suerte, Kelsi tenía que volver al piano y podía ver lo que ocurría a continuación.

—Tenemos un programa de baloncesto genial en la Universidad de Albuquerque —estaba diciendo el señor Evans—. Y un programa de becas excelente.

Eso llamó la atención de Troy.

—¿Becas?

—Entre nosotros, tenemos un poco de influencia en el instituto —continuó el señor Evans—. Y nunca es pronto para pensar en tu futuro, hijo.

De repente Troy recordó que había prometido ver a Gabriella.

—Vaya, tengo que fichar la salida. El señor Fulton...

—¡Tonterías! —exclamó el señor Evans—. No has tomado el postre, y no hemos hablado de golf.

—El baloncesto y el golf son sólo el principio para Troy, papá —intervino Sharpay—. ¿Le has oído cantar?

–¿Qué? –dijo Troy enseguida–. ¿Cantar? No, no... Uno de los hombres de la mesa se rio.

–¿Un alero que canta? Eso tengo que oírlo.

–Tal vez en nuestro concurso de talentos Estrellas Deslumbrantes –dijo Sharpay–. Oh, hazles una demostración, Troy. –Se volvió para hacer una señal a Kelsi.

–Hoy estoy un poco afónico –dijo Troy con la voz ronca y la mayor convicción que pudo–. Pero muchísimas gracias por el golf y la comida. Ha sido todo... genial.

–Entonces... cantarás en otro momento, ¿verdad? –preguntó Sharpay.

–Lo prometo –dijo él al final, sintiéndose atrapado.

–¡Perfecto! –exclamó ella–. ¿El postre? –Hizo una señal a Chad y Jason para que trajeran el carrito de los postres. ¿Bomba de crema o tiramisú? ¡O a lo mejor, para celebrarlo, podía tomar los dos!

Para cuando Troy terminó de cenar, todos sus amigos ya se habían ido.

Salió a la piscina, donde encontró a Gabriella limpiando.

¡Los estudiantes del instituto East High celebran la llegada del verano al estilo Wildcats!

El director del club de campo, el señor Fulton, es un jefe severo, pero Troy y sus amigos están encantados de trabajar allí en verano.

Sharpay está molesta porque el señor Fulton
ha contratado no sólo a Troy sino al resto
de los Wildcats, y concretamente a Gabriella.

Troy y Gabriella encuentran tiempo
para pasárselo bien, ¡incluso en el trabajo!

Sharpay ha ordenado que enciendan los aspersores del campo de golf para desbaratar el picnic de Troy y Gabriella.

Los Evans están impresionados de cómo juega Troy al golf.

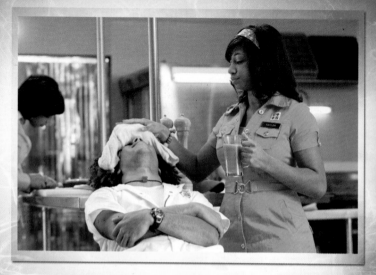

Taylor ayuda a Chad a relajarse después
de una dura jornada empujando el carro de golf
de Sharpay y sus padres.

El señor Fulton ordena a Troy que se ponga
una chaqueta y una corbata y lo lleva al comedor.

**Sharpay pide a Troy que le enseñe a jugar al golf.
Pero ¿lo hace realmente tan mal o es comedia?**

**Troy tiene que esforzarse cuando juega
con los Redhawks de la Universidad de Albuquerque.**

A Ryan le gusta estar con los Wildcats,
incluso cuando juegan al béisbol.

Chad acusa a Troy de abandonar
a sus compañeros de equipo y amigos.

Troy y su padre tienen una conversación
sobre cómo orientar su futuro sin perder
a los amigos.

Ryan convence a Troy de que participe
en el concurso de talentos del club.

¡El final perfecto para una noche perfecta!

Los Wildcats celebran juntos su increíble verano.

–¡Lo siento, llego tarde! –gritó desde el otro lado de la piscina–. ¡Dame unos minutos más!

Ella asintió y le contestó:

–¡Bonita corbata! Pero los zapatos no combinan.

Él hizo una mueca de fastidio por la broma y volvió corriendo adentro para fichar la salida. Justo cuando estaba colocando la tarjeta en la máquina, apareció el señor Fulton.

–No fiche la salida, Bolton –dijo.

–Pero he acabado por hoy, señor –contestó Troy.

–Está claro que no –dijo el jefe–. Requieren su presencia en el salón de baile.

Troy pensó en Gabriella, que le esperaba, pero luego miró a la cara al señor Fulton, que tenía una expresión de «ni se te ocurra discutirlo». Suspiró y siguió al jefe al salón de baile, donde había un cartel que decía: ENSAYO CERRADO/PROHIBIDA LA ENTRADA.

Con una linterna en la mano, el señor Fulton llevó a Troy hasta una silla en la sala a oscuras.

–¿Qué demonios...? –empezó a decir Troy.

Pero el señor Fulton se había ido.

De pronto, un brillante foco rompió la oscuridad, dirigido, por supuesto, a Sharpay. Estaba en el centro del escenario con un vestido de princesa hawaiana, coronado con una piña en la cabeza. Se le unieron Ryan, Jackie, Lea y Emma, que hicieron un número de *tiki* hawaiano con unos coros que decían «humu humu» y «waka waka».

Troy se quedó boquiabierto mirando el escenario. Sharpay cantaba y bailaba con toda su alma, y Ryan llegaba hasta el techo con cada nota.

A Troy le daba miedo moverse. Se sentía atrapado en una máquina megamusical.

Fuera, en la piscina, Taylor le daba a su amiga Gabriella algún consejo sin sentido.

—Cariño, diez minutos es llegar tarde... pero una hora es casi delito.

—Sólo hablamos de cenar —dijo Gabriella—. Nada importante.

—Sólo porque Troy sea un buen chico no significa que sea inmune a la enfermedad de los chicos —dijo Taylor.

Gabriella levantó una ceja.

—¿La enfermedad de los chicos?

Taylor le lanzó una mirada significativa.

—Olvidarse de cosas que no deberían olvidar.

Gabriella se rio.

—¿Así que ahora eres una experta en chicos?

—Mi hermana mayor tiene diez normas sobre la actitud de los chicos, y nueve tienen que ver con que los chicos olviden cosas que no deberían —dijo Taylor. Y añadió intencionadamente—: Como haber quedado para cenar.

—Tampoco era una cita oficial —dijo Gabriella, que intentaba ser justa.

Taylor sacudió la cabeza.

—Norma número tres: todas las citas son oficiales, lo sepa el chico o no. —Hizo una pausa, y luego dijo—: Chad y yo vamos a tomar una pizza con Zeke y Jason. Creo que Martha y Kelsi vendrán luego. Vamos...

Gabriella dudó.

—Yo les veré allí —dijo por fin—. Probablemente Troy también quiera ir.

Taylor suspiró. ¡De verdad esperaba que en el caso de Troy la enfermedad de los chicos no se agravara!

CAPÍTULO SIETE

Cuando por fin, gracias a Dios, se terminó el número de *tiki* hawaiano, Troy aplaudió con educación.

Sharpay saltó del escenario, sonriéndole.

—¿Y? —preguntó—. ¿Te ha gustado?

Troy dudó, mirando por el rabillo del ojo la piña en la cabeza.

—Mira, ¿alguna vez sólo... cantas? ¿Sin luces, escenarios y toda la gente que te acompaña?

Sharpay le miró, confusa.

—Así sería mucho más difícil conseguir aplausos.

—No hablo de aplausos... —dijo Troy—. Hablo de estar con amigos. Sin hacer nada. Cantar por placer.

Sharpay lo pensó un momento.

—Espera un instante, no hacer nada... puede que funcione. —Se detuvo—. Un escenario a oscuras —dijo en un tono dramático—. Sólo un foco. Salimos de la oscuridad al círculo de luz.

—¿Salimos? —preguntó Troy, inquieto.

Pero parecía que Sharpay no le oía.

—Sin escenografía, ni adornos. Sólo tú y yo —continuó—. Sencillo, dramático. ¡Es una idea fantástica, Troy! Podríamos hacerlo en nuestro concurso de talentos del club.

Cuando Ryan lo oyó, le apareció una pequeña arruga en la frente. ¿De qué estaba hablando Sharpay? Él iba a cantar con ella en el concurso de talentos del club...

Troy parecía aterrado.

—Estoy aquí para trabajar —dijo—. Para tener dinero para... mi futuro. El escenario es cosa tuya, no mía.

Ella le sonrió con dulzura.

—Podría ser... cosa nuestra —contestó Sharpay con timidez.

—¿Qué? Bueno, ya tengo una «cosa nuestra» con Gabriella, a la que por cierto llego muy tarde.

—Pero el espectáculo podría ser tan... —Su voz se desvaneció, pero todavía le miraba.

¡Troy tenía que salir de allí, ya! En un intento de distraer a Sharpay, soltó:

—Eh, llevas unos zapatos muy bonitos.

Sharpay bajó la mirada.

—¿Te gustan? Los compré en Nueva York. Los tengo en nueve colores.

Y cuando alzó la vista, Troy se había ido.

Gabriella había terminado por fin de recoger las toallas húmedas cuando oyó a alguien que gritaba por detrás:

—¡BOMBA!

Troy llegó corriendo por la cubierta y se lanzó a la piscina, completamente vestido.

—¡Estás loco, Wildcat! —Ella se rió.

—Y llego muy tarde —admitió él—. Pero tengo comida. Una vela para un picnic junto a la piscina. Y Zeke ha hecho el postre. —Sonrió—. Pero primero...

Ella le devolvió la sonrisa.

—Tengo que ponerme el traje de baño —empezó ella.

—¿Qué le ha pasado a la señorita Guardería Divertida? —dijo Troy.

—¡BOMBA! —gritó ella al lanzarse al agua.

Ambos se echaron a reír a carcajadas y a salpicarse.

—Eh, no tienes ni idea de lo que acabo de ver —dijo Troy—. No podré volver a ver una piña nunca.

—¿Cómo?

Él se rió.

—No importa. ¿Sabes? Aquí, contigo, por fin parece verano.

—Sí. —Gabriella sonrió—. Es verdad.

Se acercaron un poco más bajo la luz de la luna, el amor se palpaba en el aire, pero justo cuando estaban a punto de besarse...

—Bueno, bueno —dijo el señor Fulton—. Las chinches de agua han vuelto.

Troy y Gabriella, sorprendidos, se dieron la vuelta cuando el señor Fulton encendió un foco y lo dirigió hacia ellos. Salieron de la piscina.

Troy tragó saliva.

—Fue idea mía, señor Fulton, ella no...

El jefe sacudió al cabeza con severidad.

–Usted tiene motivos para estar aquí después de la hora, señor Bolton. La señorita Montez no. –Frunció el ceño a Gabriella–. Ayer dejé pasar el retraso. Pero luego vino el paseo por el campo de golf, y ahora esto. Dos días, dos faltas. No cometa una tercera.

Volvió a la sede del club. Justo en la puerta, Sharpay sonreía: había visto toda la escena.

Más tarde esa noche, Troy sacó la pelota de baloncesto a la entrada para hacer unos tiros con su padre. Pasados unos minutos, le dijo:

–Hoy el padre de Sharpay me ha dejado jugar unos hoyos. Luego me ha presentado a algunos ex alumnos de la Universidad de Albuquerque en el comedor.

Su padre dejó de defenderle un momento.

–¿Qué ex alumnos?

Troy aprovechó la ocasión para apuntarse un tanto.

–El señor Sherwood y el señor Langdon. Son socios del Lava Springs.

–Yo jugaba con ellos –dijo su padre, encantado–. Les llamaré. Son buenas noticias.

–¿De verdad?

Su padre asintió.

—Dar la mano a ex alumnos influyentes nunca viene mal.

—Pero hablaban de becas delante de Chad y Jason, que estaban... sirviéndome comida —dijo Troy.

—Y recibiendo un sueldo por ello —comentó su padre—. Se llama trabajo. A ti te invitaron, no tiene nada de malo.

Troy se encogió de hombros.

—Era extraño.

—Me encanta que consiguieras que todo el equipo trabajara en el club —dijo su padre—. Pero se acerca la temporada de sénior, Troy. No vas a ser un Wildcat toda la vida. El equipo está bien ahora, pero cada uno tiene su futuro.

—No sé si te entiendo. —Troy estaba confuso. ¿No decía siempre su padre que para ser el capitán de un equipo tenía que recordar siempre al equipo?

Su padre suspiró.

—A medida que la vida avanza, muchos galgos persiguen la misma liebre. Pero uno llega primero. Te has ganado tus oportunidades, hijo. Una beca es especial porque no se la dan a todo el mundo...

Troy asintió. No le gustaba, pero sabía que su padre tenía razón.

—Lo entiendo, papá.

—Bien. —El señor Bolton asintió, luego decidió alegrar los ánimos—. Entonces... ¿qué tal era la comida?

—Muy buena, una locura —admitió.

Al día siguiente por la mañana, Troy corrió a la piscina antes de trabajar con la esperanza de encontrar a Gabriella para poder disculparse. Estaba en su silla de guardavidas mientras Taylor daba una clase de aerobic acuático.

—Todavía no me he sacado toda el agua de las orejas —le dijo a Gabriella—. No quería meterte en líos.

—Igualmente —dijo ella.

Troy sonrió.

—Entonces a lo mejor hoy podemos...

Pero le interrumpió una voz apagada que decía:

—Oh, ¿Troy?

Su sonrisa desapareció al ver a Sharpay dentro de la sede del club dando golpes en la ventana para llamar su atención. Tenía un cartel escrito a mano que decía: OFICINA DEL SEÑOR FULTON.

Se volvió hacia Gabriella.

—Bueno, ¿a qué hora tienes la pausa para comer?

—¡Troy! —gritó Sharpay, que señalaba con insistencia su cartel.

—A la una y media —contestó Gabriella.

—Las hamburguesas de queso gratis corren a mi cuenta —dijo él—. ¿Nos vemos luego?

Ella asintió contenta, y él fue adentro.

Taylor salió de la piscina.

—¿Qué está tramando esa chica? —preguntó, mientras Sharpay seguía a Troy.

—¿Quién sabe? —Gabriella se encogió de hombros.

—Créeme —dijo Taylor, agorera—, ella sí lo sabe.

Cuando Troy entró en la cocina para fichar su entrada, Kelsi ya estaba ahí hablando emocionada del concurso de talentos. Al pasar Troy por su lado, el resto de Wildcats empezaron a decir algo. Sonaba como «humu humu».

Troy se paró. Se dio la vuelta y se quedó mirándolos. Ellos le miraron con inocencia.

Pero cuando siguió caminando, volvieron a empezar. Esta vez decían «¡waka waka!».

Él sacudió la cabeza y tomó su chaqueta de camarero. Cuando se la estaba abrochando, apareció el señor Fulton.

Troy dijo enseguida:

—Siento haber llegado unos minutos tarde, señor Fulton. Y lo de la piscina de anoche, no puede culpar a Gabriella, ella sólo...

—Le voy a ascender —le interrumpió él.

Troy no se lo podía creer.

—¿De verdad?

Los demás Wildcats estaban lo bastante cerca para oírlo. Todos intercambiaron miradas de sorpresa.

El jefe esbozó una mínima sonrisa.

—Hay una vacante de asistente de profesor de golf. Trabajo con salario, nada de fichar. Empiezas ya.

—Pero... —Troy estaba demasiado atónito para terminar.

—Quinientos dólares por semana —dijo el jefe.

—¿Qué? ¿Por semana? ¡Uau, eso es increíble! —Troy logró recobrar la compostura—. Quiero decir... eso suena muy... factible.

El señor Fulton llevó a Troy fuera de la cocina mientras le explicaba sus nuevas obligaciones. Terminaron en una puerta con un cartel que decía: VESTUARIO MASCULINO-SOCIOS. Dentro, Troy vio cómo vivían los socios. El vestuario era bonito. Muy bonito.

Pero estaba demasiado distraído para darse cuenta de nada. Le preguntó al señor Fulton:

—¿Enseñaré a jugar al golf?

—A niños —dijo el jefe, que hizo un leve gesto de rechazo—. Oh, qué alegría.

—No creo que esté preparado —protestó él.

El señor Fulton suspiró.

—Enseñe a esos angelitos por dónde agarrar el palo, a darle a una pelota y luego agáchese. Hay más. La junta le ha concedido privilegios de socio para el verano. Puede hacer uso completo de las instalaciones del club. Así que sea prudente y... —Señaló un armario con el nombre de Troy—... enhorabuena.

—¡Vaya! —dijo Troy.

El señor Fulton chasqueó los dedos y apareció un asistente de vestuario que llevaba un perchero con ropa nueva de golf a la moda para Troy.

A Troy le daba vueltas la cabeza. ¡Todo era tan rápido! Luego abrió su armario y encontró una bolsa de golf con sus palos nuevos. En la bolsa estaba su nombre con adornos. Sacó un palo cinco, hizo un par de *swings* para practicar y esbozó una enorme sonrisa.

—Guárdelo para el golpe de salida —dijo el señor Fulton—. Y para llegar hasta allí, puede que esto le sea útil.

Le dio una llave a Troy.

—Es para su carro de golf. Es el número catorce, como su uniforme de baloncesto, me han dicho. ¿Preguntas?

Troy miró la ropa, el armario, los palos de golf y la llave.

—¿Cómo ha ocurrido esto?

El señor Fulton levantó una ceja.

—Está claro que Sharpay Evans cree que tiene usted un gran potencial por descubrir. —Bajó un poco el tono de voz para darle un pequeño consejo—: Joven, el futuro es un sitio muy amplio, y la familia Evans tiene influencias de verdad. Le sugiero que se suba al tren.

Troy todavía estaba asombrado, pero asintió despacio. A lo mejor el señor Fulton tenía razón...

CAPÍTULO OCHO

En la piscina, Gabriella fregaba baldosas. No le importaba trabajar duro, pero no podía evitar sentir cierto resentimiento cuando Sharpay pasaba a su lado.

Las otras chicas del club y Ryan estaban estirados junto a la piscina, intensificando sus bronceados. Sharpay hizo una pose para enseñar su atuendo.

—¿El verde pistacho es demasiado?

Como esperaba, Emma dijo enseguida:

—El verde se lleva mucho este año. —Y las otras chicas asintieron. Cada una llevaba el traje de baño en un tono distinto de verde.

73

Sharpay habló un poco más alto para que la oyera Gabriella.

—Voy a tener una clase de golf con Troy Bolton, así que quiero estar bien.

Las amigas de Sharpay suspiraron al unísono. ¡Troy Bolton! ¡Es tan guapo!

Cuando Sharpay se iba, le dijo a Gabriella:

—¡La piscina nunca ha tenido mejor aspecto! ¡Bravo!

Gabriella apretó los dientes y siguió fregando con más ímpetu. Ryan les observaba desde el otro lado de la piscina. Su hermana siempre había actuado así, pero, por alguna razón, hoy le estaba haciendo sentirse incómodo.

En la sesión técnica júnior de golf, Troy se agachó cuando un palo le pasó silbando al lado de la cabeza. Intentaba descubrir cómo hacer que los niños se concentraran en los puntos más manejables del juego.

—Bolton, está aquí la de las once y media —le dijo otro de los profesores de golf.

Troy alzó la vista y vio a Sharpay que le saludaba. Volvió a mirar a los miembros de su sesión júnior de golf. De repente, pasar la mañana con ellos no le parecía tan mal.

Ryan miró a Gabriella. Todavía estaba fregando baldosas. Y hacía tanto calor ahí fuera...

Antes de darse cuenta, estaba caminando hacia ella.

—Si alguna vez decides tirar a mi hermana a la piscina, avísame para verlo.

Gabriella notó la simpatía en el tono.

—¿En algún momento nada, o se pasa el verano mirando la piscina?

Ryan se rió.

—Sharpay no deja que se le acerque agua al pelo sin champú, acondicionador y secador al alcance de la mano. —Dudó, luego añadió con timidez—: Mira... eh... sólo quería decirte que creo que es genial que estés aquí. El guardavidas del año pasado estaba gordo y tenía la espalda peluda.

Uy. Eso no le había salido muy bien.

Pero Gabriella sólo dijo en tono de broma:

—Supongo que es un cumplido.

—Oh, desde luego —dijo, buscando algo que decir que sonara bien—. Quiero decir, claro.

75

Ella decidió ayudarle.

—Fue divertido verte bailar en el espectáculo de primavera, Ryan. Sobre todo cuando Sharpay no bailaba delante de ti. Estuviste increíble.

—¿De verdad? —Le dio un pequeño vuelco el corazón.

—Claro, genial. —Ella sonrió—. Tengo ganas de verte en el concurso de talentos del club.

Se hizo un breve silencio.

—Bueno, esto... gracias otra vez —dijo él—. Quiero decir, no por lo que acabas de decir de mi baile, sino por estar aquí. Junto a la piscina. En un día bonito y todo eso. Supongo que te pagan por hacerlo, ¿no? —Se detuvo. ¡Había olvidado del todo adónde quería ir a parar!—. Creo que me voy a nadar un rato. No soy muy buen nadador, pero... con la guardavidas de servicio...

Mientras caminaba hacia el borde de la piscina, Gabriella dijo:

—¿Ryan? ¿No quieres ponerte el traje de baño?

Él bajó la mirada. Vaya, estupendo. Todavía llevaba los pantalones.

—Bien visto —le dijo, avergonzado.

¡Zas! Sharpay le dio a una pelota de golf con un movimiento salvaje mientras Troy la miraba. La pelota fue volando hacia la derecha.

¡Zas! La pelota giró del todo a la izquierda. ¡Zas! La siguiente fue hacia un grupo de socios del club, que se agacharon.

Taylor reunió a los golfistas júnior para otra actividad, pero no quitaba el ojo de encima a Sharpay y Troy. ¡Sabía que esa chica estaba tramando algo!

Otra pelota salió silbando en la dirección equivocada. Troy pensaba que jamás había visto una jugadora de golf peor.

—Al final del verano jugaré como un profesor —dijo Sharpay, contenta.

Él se agachó para esquivar unos de sus golpes salvajes y murmuró:

—No sobreviviré hasta entonces.

Ella sonrió y volvió a golpear.

—Estoy emocionada con el concurso de talentos Estrellas Deslumbrantes. Ya encontraremos algo bueno para hacer.

Troy suspiró.

—Ya te he dicho que eso no es para mí.

Ella no le hizo caso y continuó:

—Ahora vienen las mejores noticias: todos los entrenadores de los Redhawks y el comité de becas completo estarán ahí.

A lo lejos, Taylor vio que Troy reaccionaba ante algo que Sharpay le había dicho. Reaccionaba incluso... con gran gusto. Ella sacudió la cabeza en un gesto de desaprobación.

—¿De verdad? —dijo Troy.

—Claro —dijo con naturalidad—, papá y mamá están en el comité de refuerzo de la universidad. Cerraremos tu beca con un excelente, desde el centro del escenario —añadió—. Estamos en esto juntos, ¿no?

Troy sacudió la cabeza. Tenía que mantenerse firme. Además, le había prometido a Gabriella y los chicos que cantaría con ellos.

—Tu familia está siendo muy amable, Sharpay. Pero cantar contigo no forma parte de mi trabajo.

—Lo sé —dijo ella con dulzura—. Sólo es algo que prometiste, ¿recuerdas? —Y añadió—: Por cierto, estás fantástico con tu ropa nueva.

Sabía que le estaba adulando, pero siempre sentaba bien un cumplido. Dijo:

–¿Te gustan los zapatos? Son italianos.

Taylor oyó este comentario, y deseó no haberlo oído. Hizo un gesto de desesperación.

Troy decidió que era el momento de volver a la clase. Avanzó para enseñarle a Sharpay la manera más adecuada, y esperaba que más segura, de mover el palo. La rodeó con los brazos para ayudarla a agarrarlo. Justo entonces, Gabriella salió de la sede del club con dos cajas de comida. Su sonrisa se desvaneció al ver a Troy rodeando con los brazos a Sharpay.

Taylor se encontró con Gabriella justo cuando salía Chad. Taylor señaló a Sharpay con la cabeza.

–Esa chica tiene más movimientos que un pulpo en un combate de lucha libre.

–No veo que él salga corriendo –dijo Chad.

–Troy sabe arreglárselas solo –dijo Gabriella.

Ahora Troy se estaba riendo de algo que decía Sharpay y se acercaba para ayudarla con el siguiente golpe. Los dos parecían muy, muy a gusto. A Gabriella se le aceleró el corazón.

–¿Tú crees? –dijo Taylor–. Le está pidiendo su opinión sobre sus zapatos italianos nuevos.

A Gabriella se le aceleró un poco más el corazón.

–A mí no me la pidió.

–Pues despierta, hermana –dijo Taylor–. Básicamente, Sharpay le está ofreciendo estudios universitarios sólo por cantar con ella en el concurso de talentos.

–Él no lo hará nunca –protestó Chad.

Taylor sacudió la cabeza. Mirara donde mirara, siempre veía lo mismo: negación de la realidad.

–¿Tienes ojos? –le dijo a Chad–. Pues utilízalos.

Mientras Troy ayudaba a Taylor a dar otro golpe, se acercó uno de los profesores de golf.

–Fulton quiere que vayas al vestíbulo, Troy.

Troy asintió, subió a su carro de golf y se dirigió a la sede del club.

Después de que se marchara, Sharpay colocó una pelota en el soporte, le dio... ¡y fue directamente a la calle! Sonrió satisfecha. Por supuesto, siempre había tomado clases, pero si algo era Sharpay, era una gran actriz.

Cuando Troy entró corriendo en el vestíbulo, le sorprendió ver al señor Fulton y al padre de Sharpay, ¡junto con tres jugadores estrella del equipo de baloncesto de la Universidad de Albuquerque!

—Troy Bolton, él es... —Empezó el señor Evans.

—Les he visto jugar a todos en la universidad —interrumpió Troy, impresionado.

—Ven al entrenamiento en el gimnasio esta noche —dijo uno de los jugadores.

Troy tragó saliva y miró al señor Evans.

—¿Jugar... juntos?

El jugador sonrió como si supiera cómo se sentía Troy.

—Estás dentro, hermano.

—¡Uau! —dijo Troy—. ¡Es increíble!

—Excelente —dijo el señor Evans—. Ahora vamos a tomar una comida increíble.

A Troy todavía le daba vueltas la cabeza cuando Sharpay corrió hacia él y le colocó una corbata delante.

—¡Lo sabía! —gritó—. Azul coral. Es perfecto para tu tono de piel. Y para el mío también. Somos muy compatibles en el tono de piel, Troy.

—No tengo ni idea de qué significa eso —dijo Troy, aturdido.

—No hace falta —dijo Sharpay—. Yo estoy aquí contigo.

«Y pronto no sabrás cómo podías estar sin mí», pensó.

Poco después, Troy estaba con los Redhawks en la terraza. No podía creerlo, pero en realidad querían su consejo... ¡sobre golf! Cuando se sentaron para comer, le colocaron una hamburguesa de queso delante. Estaba tan absorto en aquel momento que ni siquiera miró alrededor al decir:

—Por cierto, pedí queso en la hamburguesa.

Detrás, Chad no podía creer lo que acababa de oír, ¡y ya era suficiente! Empezó a quitarse la chaqueta, dispuesto a estallar ahí mismo, cuando alguien lo agarró del cuello y le retuvo.

—La mesa tres necesita más té con hielo —le dijo el señor Fulton al oído.

Chad fue a la otra mesa, luego irrumpió en la cocina, donde estaban comiendo Gabriella y Taylor.

—Tenías razón —le dijo a Taylor—. Ahí fuera hay un chico idéntico a Troy, pero en realidad no sé quién es.

Más tarde ese mismo día, Ryan y Kelsi estaban sentados en el piano cuando Sharpay entró en la habitación y fue directamente hacia ellos.

Ryan se alegró de verla.

—Eh, Kelsi tiene grandes ideas para animar el espectáculo —dijo, entusiasmado—. Ella...

—Estoy emocionada —dijo Sharpay, cortante. Luego se volvió hacia Kelsi y soltó—: Me han dicho que ese dueto que tocabas el otro día para Troy y Gabriella es muy bueno. Lo necesito.

Kelsi intentó sonar decidida.

—En realidad no está disponible.

Sharpay lanzó a Kelsi una mirada amenazante.

—¿Puedes repetir eso?

Kelsi sintió que su firmeza se tambaleaba un poco, pero luego dijo:

—Lo escribí para Troy y Gabriella, si ellos...

—Aquí eres una empleada, no un hada madrina —dijo Sharpay—. Traslada la clave. Troy y yo lo haremos en el concurso de talentos. Y sube el tempo un poco. Necesitaremos mantener a la gente despierta después de las actuaciones de los otros socios.

Se dirigió al comedor, pero Ryan se levantó de un salto y la agarró.

—¿Qué pasa con el «humu humu»? —preguntó.

Sharpay suspiró impaciente.

—Cambio de planes.

—¿Qué se supone que voy a hacer con mi traje de guerrero *tiki*? —protestó Ryan.

—Guárdatelo para Halloween, ve a una fiesta hawaiana, véndelo, yo qué sé —replicó Sharpay—. Pero entre tanto, no les quites el ojo a esos Wildcats. Si tienen intención de participar en el concurso de talentos, que lo dudo, cuando sepan lo de Troy y yo, no quiero sorpresas. —Hizo una pausa, luego añadió con amabilidad—: Y encontraré una canción para ti en algún momento del espectáculo. O para el próximo espectáculo.

—¿De verdad? No te esfuerces, manipuladora —murmuró su hermano. Luego se fue muy dignamente.

Sharpay sacudió la cabeza.

—Los artistas son tan... temperamentales.

CAPÍTULO NUEVE

Cinco, cuatro, tres, dos, uno... ¡sí! ¡Eran las cinco en punto y por fin había terminado la jornada laboral! Los demás se estaban cambiando para el partido de béisbol del personal aquella tarde, así que Gabriella caminó fuera de la cocina y se encontró a Troy en la parte trasera, lanzando unos tiros.

—Mírate —dijo Gabriella al ver la sudadera de la Universidad de Albuquerque que llevaba—. Vamos, equipo.

—Es un regalo de los chicos —dijo Troy, entre avergonzado y orgulloso.

85

—¿Los chicos? —dijo Gabriella—. Ah, ¿te refieres a toda esa gente alta?

Ella le robó la pelota y lanzó un tiro.

—Sí, los Redhawks —dijo él, que fue hacia la pelota perdida—. Tengo que irme enseguida, pero volveré en una hora, más o menos. Luego podemos ir a ver una película, ¿me lo prometes?

Gabriella le lanzó una larga mirada pensativa.

—Prometer es una palabra muy grande, Troy.

Él dudó. Sabía a qué se refería, pero había estado muy ocupado.

—Ya sé...

—Y esta noche tenemos el partido de béisbol del personal —le recordó ella—. ¿Recuerdas que prometiste jugar?

—Ya... béisbol... esta noche... —dijo, intentando cubrirse—. Te veré allí, seguro.

Pero no podía engañar a Gabriella.

—Te habías olvidado, ¿verdad?

—No, sólo es que me he confundido de días —mintió—. Siento mucho no haber ido a comer hoy. Ha sido una locura. No puedo creer que las cosas funcionen así.

—Zapatos de golf italianos, ropa nueva, carro de golf —dijo ella con frialdad—. Es una locura. Debe de ser muy duro abarcarlo todo, me lo imagino.

—Sólo es mi trabajo —dijo él, a la defensiva.

—Ya... el futuro. —Ella asintió—. Antes yo también me preocupaba sólo por eso. Nunca despegaba las narices de los libros. Luego vine al East High, levanté la cabeza y me gustó lo que vi. —Hizo una pausa, luego añadió—: Creo que es fácil perder eso.

Justo entonces, Chad, Zeke y Jason salieron de la cocina, dispuestos a jugar.

—Vamos a ver si el Tiger Woods de mentira todavía tiene un buen salto —dijo Chad.

Eso fue suficiente para iniciar un juego rápido entre los cuatro. Pero, antes de que pudieran siquiera calentar, les interrumpió la bocina de un coche para Troy. Los tres jugadores de los Redhawks habían llegado a recogerle.

—Eh, diles que vengan y se añadan —dijo Zeke—. Les daremos algo de juego.

Troy dijo, incómodo:

—No creo que se enrollen así.

Chad le miró, incrédulo.

87

–¿Así es como se «enrollan ahora»? ¿Te crees que estás en el canal de deportes o algo así?

Troy se sonrojó.

–Quiero decir que trabajaremos con su equipo de entrenamiento.

–¡Ah! ¿Y crees que podrás conseguirnos un video? –preguntó Chad, sarcástico.

Mientras Chad miraba a Troy, Zeke preguntó:

–Ayer dijiste que jugaríamos un dos contra dos después del trabajo. Antes del partido de béisbol.

Chad sacudió la cabeza.

–Zeke, eso era cuando formábamos un equipo.

A Troy no le gustaba que todo el mundo estuviera enfadado con él, pero los Redhawks le estaban esperando. Cuando iba hacia el coche, Chad gritó:

–¡Eh, Bolton... esa pelota es mía!

Troy le lanzó la pelota y entró en el coche. Cuando se fue, Jason dijo:

–Chicos, ¿se enojaría si le pidiera que me consiga una de esas chaquetas de los Redhawks?

Chad y Zeke gruñeron y apartaron a Jason de un empujón, que parecía confuso, como siempre.

–¿Qué? –preguntó.

88

CAPÍTULO DIEZ

En el octavo hoyo del campo de golf, los Wildcats y el resto del personal del club estaban en pleno partido de béisbol. Un equipo de sonido se oía de fondo mientras los miembros de los equipos se animaban entre sí. ¡La vida no podía ser mucho mejor que eso!

En el aparcamiento, Gabriella arrancó un carro de golf para ir al partido. Vio a Ryan de camino a su coche, y le gritó:

—Eh, Wildcats, ¿no había ensayo esta noche?

Ryan se quedó quieto en el sitio, sorprendido y un poco receloso de ese saludo amable.

–Mi hermana está trabajando en algo nuevo para el concurso de talentos –admitió–. Sin mí.

–¿Entonces sabes que hay un partido de béisbol del personal esta noche? –preguntó Gabriella.

Ryan sintió una leve esperanza. ¿De verdad se lo estaba preguntando? No, era imposible.

–Yo no soy del personal –dijo.

–Y yo no soy muy buena jugadora de béisbol –dijo Gabriella con alegría–. ¡Así que vamos!

Ryan no estaba seguro de por qué le invitaba, pero no le importaba. Subió al carro, y se fueron en la cálida noche de verano.

Era el final de una entrada. Algunos Wildcats se dirigieron al carro donde Gabriella y Ryan veían el partido.

Chad frunció el ceño a Ryan.

–¿Fulton te ha enviado para que nos espíes?

–No –contestó Ryan–. Mi hermana.

–¿Qué? –preguntó Chad.

Todo el mundo le miró, atónito. Ryan también estaba un poco sorprendido, ya que siempre había sido leal a Sharpay, pasara lo que pasara. Y empezaba a darse cuenta de que por fin estaba harto de ella. Soltó una sonora carcajada al ver lo libre que se sentía de pronto.

–Cree que su equipo puede eclipsarla en el concurso de talentos.

–Que no se preocupe –dijo Zeke–. Hablamos de hacer un número, pero parece que Troy nos ha cambiado por otra cosa. Así que da igual.

–¿Qué quieres decir con da igual? –preguntó Gabriella–. Es nuestro verano, recuérdalo. Pensaba que habíamos dicho que sería divertido participar.

Martha levantó la mano.

–¡Yo estoy de acuerdo!

–¿A quién queremos engañar? –dijo Chad–. No sabemos lo que hacemos.

Gabriella señaló a Ryan.

–Él sí.

Todos miraron a Ryan, sorprendidos. Él les devolvió la mirada, igual de asombrado.

–Si tuviéramos un director de verdad que lo organizara todo, podríamos ser geniales –continuó Gabriella. Se volvió hacia Ryan–. ¿Alguna vez han ganado los empleados el premio Estrellas Deslumbrantes?

—Un momento —dijo Ryan, con una sensación de miedo y emoción ante la mera idea de que Sharpay pudiera no ganar.

—Sé lo que sabes hacer, Ryan —dijo Gabriella—. ¿Por qué no lo haces para nosotros?

Chad ya había oído suficiente. ¡Al fin y al cabo eran atletas, no artistas!

—Mira —le dijo a Ryan—, si quieres estar con nosotros, toma un guante y juguemos al béisbol. Pero no somos bailarines, así que sigamos con el partido.

Ryan oyó el tono de desprecio de Chad y sintió una llamarada de rabia.

—¿No crees que para bailar se necesita también un poco de juego? —preguntó.

Miró a Chad a los ojos.

Chad le aguantó la mirada.

¡Era un desafío!

Incluso mientras los demás Wildcats intentaban explicar que no bailaban, y que no tendrían tiempo de aprender para el concurso de talentos, Ryan les hizo hacer algunos movimientos de béisbol: lanzar, atrapar la bola, resbalar, correr a la base y mover el bate. Luego convirtió cada movimiento en un paso de baile enérgico, y muy pronto los Wildcats estaban moviéndose y bailando por todo el campo de béisbol. El baile improvisado terminó con Chad resbalando hasta la base de meta.

Chad se levantó, se sacudió el polvo y miró a Ryan con un nuevo respeto.

—No digo que vaya a bailar en el espectáculo, pero si lo hiciera... ¿qué haríamos?

Todos se volvieron a mirar a Ryan. Él también les miró, se sentía nervioso y algo más. Se dio cuenta de que le estaban sonriendo, y supo qué sentía: la sensación de pertenencia a un grupo.

Troy estaba en medio del entrenamiento más duro de su vida. Le costaba respirar mientras intentaba superar corriendo, maniobrando y saltando a chicos que eran más grandes, fuertes, mayores...

Era trabajoso, pero también muy divertido.

El padre de Troy estaba en las gradas, observando el ejercicio de cerca. El padre de Sharpay estaba a su lado, vigilando al probable nuevo recluta que tanto le gustaba a su hija. Y el entrenador Reynolds de la Universidad de Albuquerque estaba debajo del aro, al tanto de cada movimiento, cada paso y cada bloqueo que hacían sus jugadores.

El entrenador Reynolds hizo sonar el silbato indicando una pausa para beber agua, y luego se acercó al entrenador Bolton y el señor Evans.

—Me gusta lo que veo —dijo.

—Troy da el ciento diez por ciento, veinticuatro horas, siete días a la semana —dijo su padre—. De eso puedes estar seguro.

El entrenador Reynolds asintió, pensativo.

—Hazle trabajar ese movimiento hacia atrás. Tiene que ser capaz de tirar por encima de los tíos altos.

—Troy ni siquiera ha empezado a crecer —se apresuró a decir el entrenador Bolton—. Yo crecí cuatro centímetros en la universidad. Pero trabajaremos el paso atrás, créeme.

Entretanto, Troy no pensaba en crecer cuatro centímetros, ni en trabajar el movimiento hacia atrás. Estaba en el lateral, con el móvil.

En el campo de golf, se había reanudado el partido de béisbol. Gabriella estaba en el meollo de la acción, así que cuando le sonó el móvil, no lo oyó. Cuando apareció la foto de Troy en la pantalla, no la vio. El teléfono sonó y sonó, pero nunca contestaron...

Más tarde esa noche, Troy por fin llegó con el camión de su padre al campo de béisbol. Las luces del campo estaban encendidas, así que bajó de un salto y corrió al campo, pero estaba desierto. Todos sus amigos se habían ido. Troy se quedó un rato en la base meta, solo.

Gabriella arrugó la nariz ante el olor a cloro en el aire matutino. Empezó a preparar la piscina para la jornada.

Luego levantó la vista y vio a Ryan que se acercaba a ella. Llevaba un par de pantalones de surf con un llamativo estampado con los colores de los Wildcats.

—Eh —dijo ella, parpadeando ante el diseño alocado—. ¡Vaya, Wildcat!

—¿Es demasiado? —preguntó Ryan.

Ella se rio.

—Sólo a la luz del día. ¡Los colores del East High, impresionante!

Él se relajó y sonrió.

—Sé fiel a tu instituto, ¿no?

—Por supuesto. —Ella asintió. Al hablar de los Wildcats se acordó...—. Y todo el mundo está entusiasmado con el espectáculo.

Él se encogió de hombros, pero parecía encantado.

—Sé que todos piensan que soy el perrito faldero de Sharpay, pero...

Ella levantó la mano para detenerle antes de que pudiera excusarse demasiado.

—Si lo pensaban antes, ahora no —dijo ella con rotundidad. Él no parecía muy convencido, así que decidió reforzar su seguridad—. ¿Cómo hiciste esos pasos de *swing* anoche?

Ella intentó imitar el movimiento con torpeza.

Ryan sacudió la cabeza y dijo:

—Más bien así...

Él le enseñó el movimiento, luego la tomó de la mano y le dio la vuelta, ¡justo para ponerse frente a Troy!

Troy, que había decidido pasar a decir hola a Gabriella, dio un salto atrás, sorprendido.

—Hola —dijo ella, que intentaba no parecer tan nerviosa como se sentía.

—Hola —contestó él, que intentaba no parecer sorprendido al ver a Ryan y Gabriella bailando juntos.

—Hola —dijo Ryan, que intentaba decir otra cosa que suavizara ese momento incómodo.

Nada. No se le ocurría nada.

Al final, Troy le dijo a Gabriella:

—Te intenté llamar. Me quedé... colgado en el gimnasio.

—Mi padre me ha dicho que lo hiciste muy bien con los chicos de la universidad —dijo Ryan.

—¡Son increíbles! —exclamó él. El entusiasmo se apoderó de él—. Jugar con esos chicos es otro mundo...

—Arriba los Redhawks —dijo Gabriella rotundamente.

A Troy se le pasó la emoción.

—De verdad, intenté llamarte... también a Chad, pero...

Gabriella señaló a Ryan.

—Estábamos ocupados recibiendo clases.

Ryan sonrió por el cumplido, pero parecía confuso, y se sentía un poco desplazado.

Justo entonces apareció el señor Fulton a su manera repentina y fantasmal y dio unos golpecitos al reloj.

–¿La piscina todavía no está lista, señorita Montez? –Hizo un gesto a Troy–. Señor Bolton, creo que debería estar en el campo de golf.

Troy fue a la sede del club mientras Gabriella, con un suspiro, volvía al trabajo.

Los chicos estaban en el vestuario de empleados poniéndose la ropa de trabajo cuando entró Troy.

–Eh, ¿cómo fue con los Redhawks? –dijo Zeke.

–Son muy... altos –dijo Troy, que parecía que resumía su primer entrenamiento con chicos universitarios con casi nada.

–Hicimos jugar a Vince de mantenimiento –dijo Zeke. No quería que Troy olvidara que les había fallado. Otra vez–. Así que fue bien.

–A lo mejor jugamos hoy, más tarde –dijo Troy.

Pero sus amigos ya habían escuchado demasiadas promesas vacías.

–Háblalo con Vince –dijo Chad con frialdad.

Troy empezaba a sentirse molesto. Actuaban como si fuera culpa suya. ¿Querían que dejara pasar una oportunidad de oro de entrenar con los Redhawks para poder jugar a béisbol?

—El señor Evans arregló lo del entrenamiento, no yo —dijo.

Chad no le iba a dejar en paz tan fácilmente.

—¿Nos pides que contemos contigo? O a lo mejor te has quedado sin espacio en tu lista de cosas que hacer.

Ahora Troy estaba más que molesto. Estaba enfadado.

—No fui a buscar a los Redhawks, ellos vinieron a mí. No solicité este trabajo en el golf, Fulton me lo ofreció. Pero dije que sí. Fue mi elección. Porque es divertido, y es algo que debería hacer para mi futuro. Vengo a trabajar, igual que todos.

Chad no pudo evitar un gesto de desprecio al oír la última frase.

—Bah, por favor, si te ensucias los pantalones alguien va a limpiártelos. Tú pides de la carta, nosotros comemos lo que queda.

Troy dijo, encendido:

—Estarías haciendo lo mismo si... —Se paró, pero demasiado tarde.

—¿Si fuera tan bueno como tú? —Chad terminó la frase.

—No he dicho eso. —Pero Troy sabía que había estado a punto.

—Te votamos como capitán de los Wildcats no porque tuvieras un buen salto, sino porque se supone que eres el chico que sabe lo que pasa —dijo Chad. Añadió con amargura—: Pero eso fue antes del verano, ¿no?

—¿Crees que lo sabes todo de mí? —dijo Troy—. No creo.

Justo entonces entró el señor Fulton, miró a su alrededor y dijo:

—Caballeros, no les pagan para hacer de psicólogos. Se ha acabado la pausa. Al trabajo. —Se volvió hacia Troy—. Señor Bolton, el señor Evans quiere que vaya al club de campo de Indian Hills a jugar al golf con una pareja de sus socios. Le ha dejado las llaves de su Ferrari.

Le dio las llaves a Troy, que se fue sin molestarse en despedirse.

Los otros Wildcats se miraron.

—¿El Ferrari? —repitió Jason—. Muy bien, lo admito. Troy es un ser superior.

—Sí —murmuró Chad—. Pregúntaselo a él.

CAPÍTULO ONCE

urante los días siguientes, todos los Wildcats estuvieron ocupados, muy ocupados.

Troy jugó más partidas de golf con el señor Evans y los demás Redhawks. Escuchaban sus consejos sobre golf, le daban palmaditas en la espalda cuando daba un gran golpe, y le invitaban a cenas fantásticas en el club de campo. Eso era la buena vida, y Troy no podía evitar que le gustara.

Ryan se esforzó mucho ensayando el número de baile de los Wildcats para el concurso de talentos, y a ellos les sorprendió ver que se lo pasaban muy bien

101

ensayando con él. ¡Por supuesto, no podían dejar que Sharpay supiera lo que estaban haciendo! Por suerte, estaba ocupada ensayando con Troy y Kelsi, organizando el espectáculo e intentando no hacer muecas de dolor al ver los demás talentos que iban a ocupar el escenario.

Zeke seguía creando nuevos y mejores platos de *gourmet* en la cocina. Y cuando el señor Fulton los probaba, se quedaba atónito de lo buena que estaba la comida. Cuando no estaban trabajando, los Wildcats se lo pasaban bien, pero Gabriella a veces se sorprendía buscando a Troy, y se sentía triste cuando no estaba.

Troy siguió jugando en los entrenamientos de los Redhawks. Disfrutaba de cada minuto de aquella introducción al juego universitario, pero se sentía desplazado cuando iba a la cocina a ver a sus amigos y descubría que estaba vacía. Y aunque era genial estar en el campo de golf, ya no le parecía tan divertido ahora que nunca veía a sus amigos.

Pero ése era el giro que estaba tomando el verano. Troy y los Wildcats ahora vivían en dos mundos separados.

Unos días antes del concurso de talentos, llegó un grupo a instalar una carpa de fiestas. Troy llegó al club de campo y fue a dar una vuelta y a echar un vistazo.

El personal estaba colocando las luces, levantando el escenario, comprobando los equipos de sonido. Troy se quedó boquiabierto, asombrado. No era una carpita, ¡era una enorme carpa!

Sharpay estaba mirando la zona de asientos con su madre. Cuando vio a Troy, le hizo una señal para que se acercara y le señaló una mesa resaltada con rotulador rojo.

—Papá se asegurará de que el comité de becas esté ahí —dijo—. Tendrán una vista perfecta.

—Y he invitado a tus padres como invitados especiales —dijo su madre—. Será una gran noche.

Troy miró la enorme carpa, el impresionante escenario, la iluminación, el decorado, todo el ambiente de lujo y exclusividad. Luego miró a Sharpay, vestida como si saliera de las páginas de moda de una revista. Tenía que admitirlo: Sharpay y la vida que llevaba tenían muchas cosas buenas.

Sharpay le llevó al escenario. Cuando Kelsi empezó a tocar, Martha y Taylor asomaron la cabeza en la carpa.

Y de pronto, quisiera o no, Troy estaba cantando un dueto con Sharpay.

Era la música escrita para él y Gabriella, pero los cambios de Sharpay la habían convertido en algo completamente distinto. Cuando cantó el dueto con Gabriella, la música era bonita y emotiva. Ahora era una excentricidad al estilo de Broadway.

Él hizo lo que pudo para cantar como quería Sharpay, pero no ponía sentimiento. De hecho, se sentía atrapado en una pesadilla, ¡y no había salida!

—Qué bien que no haya jurado —dijo Martha, al verle esforzarse.

Taylor asintió.

—Regla número siete de mi hermana para los chicos: cuando ellos meten la pata, la meten hasta el fondo.

Por fin, la canción terminó. Sharpay tomó de las manos a Troy y le miró con intensidad a los ojos.

—¿Sabes, Troy? Siempre supe que eras especial. Y es evidente que yo soy especial. Creo que estamos hechos para cantar juntos, ¿no? Estoy tan emocionada por tu futuro, todo ha salido como un sueño hecho realidad.

Pero cuando él la miró, la vio con un pomposo vestido de novia y un ramo en la mano.

Apenas podía hablar. Estaba aterrorizado.

—¿Troy? —dijo Sharpay.

—Necesito un poco de aire —dijo él enseguida.

Cuando iba hacia la puerta, ella le gritó:

—¡No tardes, tenemos que volver a ensayar!

Cuando Troy estuvo fuera, echó a correr. No paró hasta llegar al sitio donde siempre se había sentido feliz y bajo control: la pista de baloncesto. Agarró una pelota y empezó a lanzar tiros. Pasados unos minutos, se detuvo, frustrado. No podía evitar darse cuenta de que la mayoría de sus tiros eran pésimos.

Entonces oyó algo. Música y risas... que venían de la sala de ejercicios...

Sharpay se estaba enfadando. Troy había salido corriendo por la puerta como si huyera de algo, y ya habían pasado por lo menos tres, consultó el reloj, no, cinco minutos, y todavía no había vuelto.

Salió de la sede del club a buscarle. Al pasar por la piscina, vio sombras en el gimnasio de los socios. Se acercó a mirar por la ventana... ¡y dejó escapar un grito ahogado al ver a los Wildcats ensayando un número de baile dirigidos por su propio hermano!

Con el entrecejo fruncido, Sharpay observó a esos... esos don nadie que bailaban, cantaban y se reían. Lo que Sharpay no vio es que Troy estaba mirando por la ventana al otro lado del gimnasio, pensando nostálgico que sus amigos se lo estaban pasando muy bien. Y que Gabriella estaba muy guapa...

Cuando terminó el ensayo, los Wildcats salieron del gimnasio después de algunos abrazos y bromas. Ryan se quedó atrás para recoger sus notas del ensayo y los CD y el equipo de música que habían utilizado. Estaba a punto de irse a casa cuando la puerta se abrió de un golpe e irrumpió Sharpay.

–¡Te dije que los tuvieras vigilados, no que los convirtieras en las Pussycat Dolls! –gritó.

–Está bien, ¿eh? –contestó Ryan con una sonrisa.

Sharpay estaba tan asombrada que apenas podía respirar.

–¿Qué le estás haciendo a mi espectáculo? ¿Quieres que pierda el premio Estrellas Deslumbrantes con una panda de... fregaplatos?

Ryan levantó la barbilla, desafiante.

—¿Tu espectáculo? Yo formo parte de un espectáculo distinto, ¿recuerdas?

—¿Cuándo te convertiste en... uno de ellos? —le preguntó.

—Eh, eso es un cumplido —dijo—. Pero tienes un buen número, hermana.

«Oh, eso pretendo», se dijo Sharpay al irse.

CAPÍTULO DOCE

Sharpay fue directamente a la oficina del señor Fulton.

—El concurso de talentos de verano Estrellas Deslumbrantes significa mucho para mí, y para mi familia —dijo—. Esos Wildcats lo convertirán en una gran farsa.

—Me han dicho que su hermano es uno de esos Wildcats —contraatacó él.

—No me hables de ese traidor —replicó ella.

—La implicación del personal en el Estrellas Deslumbrantes es una tradición —comentó él.

—Las tradiciones cambian —dijo ella, con desprecio—. Mis padres tienen invitados importantes. Esa noche necesitaremos a todos los empleados trabajando, no en el escenario.

El señor Fulton dudó.

—Tal vez debería pensarlo.

—Muy bien. —Sharpay se paró un microsegundo, luego dijo—: Hecho. Ahora hazlo. —Salió con altivez de la habitación, un poco más contenta.

El señor Fulton se miró en un espejo.

—¿Qué miras? —se dijo, en tono de culpabilidad.

Al día siguiente, el señor Fulton entregó a Taylor una montaña de avisos.

—Distribúyalos en la zona de personal —ordenó—, pero no hasta que acabe el turno.

—Por supuesto —dijo ella. Luego leyó el documento—. ¿Qué? ¡Espere! Pero...

—Sin discusión, señorita McKessie —dijo el señor Fulton—. Esto es un negocio. Siento tener que decírselo yo, pero bienvenida al mundo de los adultos que tienen trabajos que quieren mantener porque tienen hipotecas que quieren pagar... matrículas de universidad, el coche, etc. ¡Así que en ocasiones hay tareas, por muy desagradables que sean, que les exigen los jefes para que los cheques de pago importantes anteriormente mencionados lleguen a su bolsillo demasiado vacío!

Pasado un momento, Taylor dijo en voz baja:

—¿Quiere que le traiga una taza de café, señor Fulton?

—Eso estaría bien, gracias —contestó él.

Poco tiempo después, un grupo malhumorado de Wildcats estaba reunido en la cocina.

—¿Cómo se supone que vamos a hacer un número si tenemos turno completo? —preguntó Martha.

—Creo que de eso se trata —dijo Taylor.

Gabriella entró en la cocina, y Taylor le dio un aviso.

—No podemos hacer nada. Son órdenes de Fulton —le explicó Taylor.

Chad soltó un bufido al oírlo.

—De ninguna manera esto es idea de Fulton, a menos que ahora sea rubio y lleve vestidos de diseño.

Gabriella terminó de leer el aviso, con los ojos abiertos de par en par. Pero no estaba sólo disgustada. Estaba enfadada.

Sharpay estaba recogiendo su bolsa de la piscina cuando Gabriella fue hacia ella.

—Olvídate del resto de nosotros, pero ¿qué pasa con tu hermano, que ha trabajado con un ahínco increíble en este número? –dijo, encendida.

—Ah, bueno –dijo Sharpay, y se encogió de hombros–. Él estará en el espectáculo, es socio. Y no me des lecciones sobre Ryan, tal y como has interferido en el futuro de Troy.

Gabriella se quedó boquiabierta.

—¿Qué?

—Has hecho que el señor Fulton le riñera por meterse en el campo de golf, nadar después del trabajo... –dijo Sharpay–. Tuve que intervenir para salvar el trabajo de Troy. Está preocupado por su futuro, por la universidad, y lo único que he hecho es ayudarle.

—¿Qué tiene eso que ver con arruinarnos el número? –preguntó Gabriella.

Sharpay se quedó mirándola.

—Reclutaste a Ryan porque estás celosa de lo que he hecho por Troy.

—No hablo de Troy –dijo Gabriella, frustrada–. Hablo de mis amigos, tu hermano, mi verano.

Sharpay hizo un gesto de desprecio.

—Oh, por favor, no te gusta el hecho de que vaya a ganar.

—¿Cuál es el premio? ¿Troy? ¿El premio Estrellas Deslumbrantes? ¿Tienes que pasar por todo esto para ganar alguno de los dos? —gritó Gabriella—. No, gracias, Sharpay. Eres muy buena en un juego en el que ni siquiera quiero participar. Es tu club, tu mundo, bienvenida seas. Pero aléjate un poco del espejo para ver quién queda herido cuando tú ganas.

Sharpay pensó que podría contestar a eso, pero simplemente prefirió no hacerlo. Así que recogió su bolsa y se fue.

Troy entró en la cocina con la esperanza de ver a todo el mundo aún ahí. En la sala sólo estaba Taylor, bastante abatida.

Últimamente no había sido muy amable con él así que pensó que diría algo ligero para animarla.

—Si tengo que enseñar a un solo júnior más, voy a necesitar una armadura.

—Puede que no sea mala idea —dijo ella.

Le dio un aviso. Él lo leyó y luego dijo:

—Vaya, es un desastre...

—¿Es que no lo veías venir?

Él la miró.

—¿Qué significa eso?

—Es bastante obvio que el gran escenario es solamente para ti y tu nueva mejor amiga, Sharpay —contestó ella.

Troy pensó enseguida en la única persona que no quería que pensara eso.

—¿Gabriella piensa que eso es lo que quiero?

Taylor sacudió la cabeza.

—Regla número diez para los chicos: ¡despierta y huele el café, guapo!

—¿Dónde está? —preguntó Troy.

—No lo sé. Me ha dicho que hoy es su último día en el Lava Springs.

—¿Qué? —gritó Troy. Tenía que hablar con ella, hacerle cambiar de opinión. Salió corriendo y bajó a zancadas los escalones, y alcanzó a Gabriella justo cuando estaba agarrando su bolso.

—No puedes irte —le dijo, sin aliento.

—Lo de trabajar juntos sonaba bien, Troy, pero las cosas han cambiado, ¿no? —dijo ella, apenada.

–Pues dame una oportunidad para volverlas a cambiar –dijo él.

Ella le miró, muy seria.

–El concurso de talentos es muy importante para Sharpay. También es muy importante para tu futuro. Eso está bien.

Él sacudía la cabeza. Se había hecho una idea completamente equivocada, tenía que volver a orientarla...

–El golf, el canto... solamente intento conseguir la beca.

–Pero cuando hablo contigo, ya no sé con quién hablo.

Troy sintió un escalofrío.

–Soy yo.

Un brillo de rabia apareció en los ojos de Gabriella.

–¿No atendiendo a tus amigos, faltando a las citas? Si así eres tú, bueno es saberlo.

–Sólo necesito que pase este espectáculo –le explicó él.

–Sólo sé que si te comportas como quien no eres, pronto acabas convirtiéndote en esa persona –dijo ella.

Troy se paró. Tenía miedo, muy en el fondo, de que tuviera razón.

—Cuando te dije que no había pasado un verano en un sitio en cinco años, era verdad –dijo ella–. Quiero que sea especial, y éste no es el lugar.

Un poco a la desesperada, él dijo:

—Lo decía en serio cuando hablaba de las películas, ir en *skate* y estar juntos.

—Estoy segura –dijo ella, con frialdad–. En ese momento.

—Sólo intento abarcarlo todo.

Ella asintió.

—Yo también. Porque el verano está pasando, y yo voy a buscarlo. Pero nos veremos en septiembre.

Conteniendo las lágrimas, ella entró en la cocina y empezó a vaciar su armario. Recordó las ganas que tenía de un verano con sus nuevos amigos... y Troy. Sabía que no le haría ningún bien quedarse en ese trabajo, esperando a que el verano terminara como ella había imaginado. No, tenía que seguir su camino y asegurarse de pasar un verano que no olvidara nunca.

Al salir de la cocina, Troy le estaba esperando. Sabía que él también tenía que seguir su camino, y en realidad no podía culparle.

Sonó la bocina de un coche. Miró a Troy.

—Me tengo que ir.

Al ir hacia el aparcamiento, tres personas la vieron marchar, cada uno con una sensación distinta.

Troy se sentía confuso y triste. Lo había estropeado todo y no sabía cómo arreglarlo.

Taylor estaba enfadada con Troy y triste porque Gabriella se fuera.

Y Sharpay no sentía más que una profunda satisfacción. Pensó que todo marchaba a la perfección.

Aquella noche, Troy estaba sentado solo en su habitación cuando llamaron a la puerta. Entró su padre con un plato de costillas.

—Normalmente te las comes justo después de que salgan de la parrilla —dijo. Veía que su hijo estaba preocupado por algo.

Troy se encogió de hombros.

—A lo mejor he comido demasiado en el club.

Su padre lo volvió a intentar.

—Pensaba que invitarías a los chicos a comer. He comprado dos trozos de más.

Troy dudó, luego dijo:

—¿Crees que de verdad parezco... diferente, papá?

—Te vistes bastante mejor de lo habitual —dijo el señor Bolton, intentando quitarle peso al asunto. Miró a Troy, muy serio—. ¿Qué te pasa?

—Gabriella deja el trabajo porque cree que me voy a echar a perder intentando conseguir la beca. Yo sólo hago el número con Sharpay porque me ha atrapado con lo de los universitarios y todo eso. En realidad no me importa el golf, y jugar con los Redhawks es genial, pero no si mis colegas ya ni siquiera quieren venir a jugar a baloncesto conmigo —dijo Troy.

—Bueno, bueno... —dijo su padre—. Troy, espero que sólo participes en el concurso de talentos porque lo deseas.

¿Por qué deseaba? ¡Troy pensaba que tenía que hacerlo!

—Entiendo que tener relación con el señor Evans y los universitarios es muy importante para mi futuro —dijo con prudencia.

Su padre se sentó en la cama. Estaba claro que era hora de poner las cosas en su sitio.

—Me he entusiasmado hablando de hacer relaciones en el Lava Springs. Pero sea cual sea la universidad adecuada para ti, con beca o no, haremos que salga bien en familia. Estamos contigo, Troy.

–¿Sí? –dijo Troy, que sintió el primer rayo de esperanza desde... desde que Sharpay había empezado a manipular al milímetro su vida.

–Cuenta con ello –dijo su padre–. Aquí tienes mi única norma para el futuro: vayas donde vayas, asegúrate de que no te olvidas de ti mismo.

Troy sonrió a su padre y sintió que una gran sensación de alivio invadía su cuerpo.

Pero cuando Troy llegó al trabajo al día siguiente, lo primero que notó fue que había un nuevo guardavidas. Y al entrar en la cocina, vio que sus amigos se sentían incómodos con él.

A medida que pasaba el día, quedó claro que la única que se lo pasaba bien era Sharpay.

Kelsi tocó el piano para la gente de la comida sin el brillo habitual. Ryan estaba sentado junto a la piscina, pero ni siquiera el día tan bonito lo animaba. Taylor iba por la cocina y notaba lo silenciosa que estaba.

Y Troy sólo esperaba a que terminara el día. Sabía que nadie echaba de menos a Gabriella tanto como él.

Por fin se acabó la jornada. Troy subió a un carro de golf, y no paró hasta llegar al medio del campo vacío. Respiró hondo varias veces en el aire de la noche, clavó un soporte en el suelo, eligió un palo de golf y dio un golpe.

La bola navegó en la luz crepuscular. Troy la vio volar, al tiempo que se preguntaba qué le había pasado a su verano sin problemas. Pensó en cómo había caído en los planes de otra gente para su futuro sin pensar en lo que él quería. Y luego tomó una decisión muy importante.

Las cosas estaban a punto de cambiar. A partir de entonces, Troy Bolton iba a trazar su propio camino.

CAPÍTULO TRECE

El día siguiente empezó como cualquier otro en el club de campo Lava Springs. Los socios del club desayunaban en la terraza, los golfistas salían al campo, y los jugadores de tenis calentaban su saque.

En el decimoctavo hoyo, un hombre estaba agachado sobre su palo de golf, preparado para dar un golpe corto. Pero justo cuando retiró hacia atrás el palo para golpear la pelota, un grito penetrante surcó el aire. ¿QUÉ?

El golfista dio un respingo y envió la pelota fuera del campo.

120

Un jugador de tenis lanzó el saque contra la valla.

En la cocina, un cocinero lanzó una tortilla completamente fuera de la sartén.

El precioso salto de un bañista se convirtió en una plancha con la barriga.

Un empleado estampó un carro contra una señal que anunciaba el concurso de talentos y la derribó.

Y sobre el escenario de la gran carpa para la fiesta, Sharpay estaba hiperventilando con Troy al lado.

—¿Qué significa que no vas a estar en mi espectáculo? —gritó, muy indignada.

—Exactamente eso —dijo él, muy tranquilo.

¿Podía ser que Troy no entendiera la importancia de lo que estaba diciendo?

—Cantamos un dueto, Troy —le explicó, impaciente—. Un dueto necesita dos personas. En este caso sobre todo yo, pero igualmente. Un dueto.

Él se encogió de hombros.

—No hay empleados en el espectáculo.

—Eres socio honorario —le explicó ella.

—Era —dijo Troy—. Le voy a pedir al señor Fulton que me devuelva a mi trabajo en la cocina. El aviso decía que les faltaba personal para la fiesta.

—Escucha, te juegas demasiado esta noche —dijo ella, impaciente—. Habrá toda una mesa de personalidades de la universidad que vendrán a verte. Gracias a mí.

—Qué pena que vayan a perderse a Ryan y los Wildcats —dijo Troy—. Vale la pena verlo.

—¡No van a estropear mi espectáculo! —exclamó ella.

—Entonces yo tampoco —dijo él, resuelto.

—¡Pero tus padres también vienen! —gimió ella.

—Seré su camarero —dijo él—. Estarán encantados. —Se dio la vuelta y se fue caminando.

Kelsi había visto toda la escena desde un rincón de la habitación. Vio cómo se iba Troy, con los ojos abiertos como platos. Y Sharpay... ¡Kelsi nunca la había visto tan enfadada!

¡No sabía lo que significaba, sólo que aquella noche iba a ser una locura!

Aquella tarde había un ambiente festivo en el club de campo Lava Springs cuando una multitud de socios, todos con sus mejores galas, llenaron la carpa de la fiesta. Charlando animados, se sentaron en las mesas cubiertas de globos para comer sus lujosos platos.

Detrás del escenario, Sharpay llevaba su vestido e intentaba hacer que el señor Fulton viera las cosas a su manera. Por una vez, no estaba funcionando.

—No puedo ordenar al señor Bolton que cante —dijo el jefe—. No forma parte de la descripción de su trabajo. —Se ajustó el esmoquin que llevaba y añadió, optimista—: Sin embargo, yo tengo formación teatral. Y creo que todavía puedo hacerlo más que bien ...

—No necesito una buena actuación, necesito una intervención divina —replicó ella—. Van a venir tres-cientas personas. —Se volvió hacia las chicas del club—. ¡Pensaba que le había dicho a Lea que fuera a buscar a Ryan!

—Y lo ha hecho —dijo Ryan—. Aquí estoy.

—Menos mal —dijo Sharpay—. Calienta el volcán. Vuelve el «humu humu».

—Disfruta sola de tu piña, Sharpay —dijo Ryan—. Yo no voy a hacer el número.

—¿Qué? —gritó Sharpay. ¿Es que todo el mundo se estaba volviendo en su contra?—. Ponte tu traje.

Pero Ryan sacudió la cabeza.

—Seguí tu consejo. Lo vendí. Te encantan los focos. ¿Pues sabes qué? Son todo tuyos.

123

Se dio la vuelta y se fue, contento de haber dicho, por una vez, la última palabra.

Troy colgó su ropa de golf, envuelta con cuidado en bolsas de plástico en su armario de empleado. Apartó sus palos de golf. Dejó la llave del carro de golf en el estante. Quitó la placa con su nombre del armario y se abrochó la chaqueta de camarero, dispuesto a trabajar.

Cuando se dio la vuelta, se encontró a Chad, Zeke, Jason y Ryan detrás con los brazos cruzados.

—Kelsi nos ha contado lo que ha pasado entre tú y Sharpay —dijo Chad.

Troy vio una puerta abierta, una oportunidad de arreglar las cosas con sus amigos, y decidió aprovecharla.

—Siento haberles estropeado el número.

—Sí, y el mundo del espectáculo es toda nuestra vida —dijo Zeke con una sonrisa.

Troy se rió.

—Sé que he estado un poco raro. Espero que no me hayan sustituido para siempre en el dos contra dos. Y Ryan, sé que has trabajado mucho con estos chicos... así que me disculpo.

124

Los chicos asintieron. Sólo querían una disculpa...
y que volviera su amigo Troy.

—Creemos que tienes que cantar hoy —dijo Chad.

—¿Qué? Ya he tomado una decisión —contestó
Troy.

—Toda esa gente está ahí fuera —dijo Ryan en un
tono persuasivo—. Eres bueno. Y en realidad no quiero
ver a mi hermana venirse abajo. —Se paró a pensar—.
Por lo menos creo que no. —Se volvió hacia Zeke—. Por
cierto, espero que hayas escondido el carro de los postres, porque cuando Sharpay se pone nerviosa come.

De hecho, Sharpay estaba muy nerviosa. Tenía el
carro de los postres en su vestuario y se estaba
metiendo un postre tras otro en la boca cuando entró
el señor Fulton.

—No quiero decirle cómo hacer su espectáculo,
pero las tres primeras actuaciones no han hecho
vibrar precisamente al público —dijo.

—Estoy acabada —dijo ella, con la boca llena de
bollo de crema—. ¡Mi vida se terminó! He sido una
buena chica. Nunca he mentido más que cuando era
necesario. Siempre he comprado regalos caros a mis

padres... con su tarjeta de crédito, claro. Pero no merezco esta humillación...

El señor Fulton decidió que era el momento de interrumpir aquella aria de autocompasión.

—Como mínimo, será mejor que salgas y cantes. O eso o el espectáculo de calcetines parlantes de la señora Hoffenfeffer.

—Que me lleve el Señor —dijo Sharpay.

—Creo que recordaré algo de claqué —dijo el señor Fulton emocionado—. Lo intentaré. Pero será mejor que usted caliente las cuerdas vocales.

Se fue, y Sharpay se colocó frente al espejo de su vestuario. Vio su imagen reflejada: tenía el cabello hecho un desastre, la cara salpicada de crema, y, lo peor de todo, parecía lo que era, una chica que había manipulado a todo el mundo para conseguir lo que deseaba.

—¿Qué haría Madonna en mi situación? —se preguntó—. Después de pensarlo un momento, dijo—: Ya, olvídalo.

Miró con tristeza el espejo y vio a Troy reflejado detrás. Se dio la vuelta enseguida.

—¿Cómo va tu espectáculo? —preguntó.

–¿Que cómo va? –Ella suspiró y admitió–: Mi espectáculo hace que parezca que el capitán del *Titanic* ha ganado la lotería.

Él dudó, y luego dijo:

–Cantaré contigo, Sharpay.

Ella le miró, incrédula.

–¿Qué?

–Te prometí que cantaría contigo, y yo cumplo mis promesas –le explicó–. Pero ¿qué fue lo que me dijiste cuando empecé a trabajar aquí?

Ella hizo memoria.

–¿Tráeme un té con hielo?

Él sonrió un poco.

–Piensa –insistió–. Estamos...

Ella se detuvo, y luego dijo:

–... todos juntos en esto.

–Sí, eso. –Troy esperó a que ella atara cabos.

–Bueno... ¡es verdad, así que vamos a salir y dejarlos muertos, Troy Bolton! –dijo ella, contenta.

Él suspiró al darse cuenta de que iba a tener que explicárselo.

–Pero no sólo tú y yo, Sharpay. Los Wildcats también. Yo actúo... si los Wildcats actúan. –Él miró los trozos destrozados de tarta de queso, pastel de coco y tarta de manzana–. ¿O prefieres quedarte aquí y pulirte lo que queda en el carro de los postres?

Fuera, en la puerta, Kelsi escuchaba con atención.

Sharpay pensó en el caos de espectáculo que había en ese momento en el escenario. Se miró en el espejo y vio el desastre en el que se había convertido. Y luego miró a Troy.

–Sólo me gustaría que hicieses esto... por mí –dijo ella, sincera por primera vez–. Eres un buen chico, Troy... en realidad, creo que ahora mismo me gustas más que yo. –Perpleja, ella le miró con los ojos desorbitados–. ¿Yo he dicho eso?

Él sonrió y se dio cuenta por primera vez que a lo mejor algún día podría ser amigo de alguien como Sharpay.

CAPÍTULO CATORCE

¡Se corrió la voz entre las filas de los Wildcats de que iban a participar en el espectáculo! Chad subió de un salto a un carro, fue volando detrás del escenario y recogió a Taylor por el camino. Jason y Kelsi salieron corriendo de la cocina, con Zeke tras ellos.

Ryan agarró a Troy cuando pasó por su lado y le dijo:

—Sharpay quiere hacer una canción distinta. Kelsi la trabajará contigo.

—¿Qué? Pero... —Troy ya estaba nervioso, ¿y ahora se suponía que tenía que cantar una canción completamente distinta?

129

Ryan asintió para calmarle.

—Tú hazlo.

—¿Dónde están Chad y Taylor? —preguntó Troy.

Kelsi agarró a Troy y lo arrastró al piano para practicar. No tenían tiempo para que Troy se pusiera nervioso o hiciera preguntas. Al fin y al cabo, no querían estropear la sorpresa...

Mientras la emoción se apoderaba del club de campo, Gabriella estaba estirada en la cama leyendo un libro.

De repente, Chad y Taylor irrumpieron en la habitación. Taylor fue a su armario y empezó a sacar vestidos.

Gabriella se incorporó, aturdida.

—¿Qué están...?

—Grítanos en el coche —le dijo Chad, escueto.

Ella sacudió la cabeza, confundida.

—¿Por qué no están trabajando?

Taylor le sonrió.

—Eso hacemos.

Gabriella apretó los labios.

—No voy a volver al club —dijo ella con firmeza.

—Explícaselo a Ryan —sugirió Taylor—. Nuestro número ha vuelto, y dice que nada funcionará sin ti. Confía en mí, tiene razón.

Gabriella dudó. Chad y Taylor intercambiaron una mirada de satisfacción.

Gabriella estaba con ellos.

Había un mago en el escenario, haciendo sus trucos.

Los padres de Troy miraban el espectáculo con una mezcla de asombro y consternación mientras degustaban la cena.

—¿Tú qué crees? —preguntó el señor Bolton.

—Bueno... no es nada que no haya visto antes —dijo su esposa.

—Sigue sonriendo —contestó él.

Ella hizo un gesto de fastidio.

—Ésa es la parte fácil.

Mientras Sharpay estaba detrás del escenario haciendo ejercicios vocales, el señor Fulton tomó el micrófono.

—Y ahora, señoras y señores, me acaban de comunicar un cambio en el programa. No estoy seguro de qué cabe esperar, pero, como se dice, el espectáculo debe continuar.

Kelsi salió corriendo al escenario mientras los laterales hervían de actividad.

—¿Por qué has cambiado las canciones? —le preguntó Troy a Sharpay—. No sé si podré sacar esto adelante.

Ella le miró con una expresión de sorpresa.

—¿Cambiar las canciones? ¿Qué?

Él la miró confuso.

—Sí. Ryan ha dicho...

En el escenario, el señor Fulton estaba diciendo:

—Así que aquí está nuestro ayudante de profesor de golf, Troy Bolton...

Kelsi empezó a tocar. Troy tragó saliva, pero salió al escenario y empezó a cantar.

Sharpay miró a Ryan.

—¿Cómo se supone que voy a pasar por esto? —le preguntó—. No conozco esta canción.

—Ya lo sé —dijo él, sin más.

Ella le miró durante un instante de confusión, luego se dio cuenta de lo que estaba pasando justo cuando se abrió la cortina trasera para dejar al descubierto a todos los Wildcats. Se hicieron a un lado y apareció Gabriella en el escenario, cantando sola con Troy.

Y allí estaban, de vuelta donde habían empezado... Troy y Gabriella, cantando para una sala llena de gente pero con ojos sólo para ellos dos. Interpretaron la canción con dulzura y sencillez y, a medida que se acercaba al final, estaba claro que aquella canción era sobre dos voces que estaban hechas para cantar juntas.

Cuando terminaron, hubo un momento de silencio, luego el salón de baile estalló en aplausos. Troy abrazó a Gabriella.

Atrapada por el ambiente de la noche, Sharpay agarró el micrófono y presentó a Ryan y los Wildcats. Ryan hizo la señal a Kelsi, que empezó a tocar... ¡y antes de que nadie se diera cuenta, los Wildcats habían convertido todo el salón de baile en su escenario! Cantaban sobre la amistad y la confianza entre ellos. Y cuando la canción terminó, toda la sala se convirtió en una enorme celebración.

En medio de todo eso, el padre de Troy le encontró y dijo:

—Pensaba que me habías dicho que no te lo pasabas bien aquí. Casi me engañas.

133

Troy sonrió, pero antes de poder contestar, el padre de Sharpay se acercó a ellos.

—He hablado con el comité —dijo—. Se ha mostrado bastante unánime. No importa lo que ocurra en la pista la temporada que viene. Queremos a Troy en la Universidad de Albuquerque. Seguro. Es precisamente el tipo de chico que queremos en nuestro campus.

Troy se quedó boquiabierto. Era más de lo que jamás había soñado, pero estaba pasando muy rápido... y no sabía qué decir.

—Bueno, Troy tendrá que pensar en sus opciones —dijo el señor Bolton con naturalidad para rescatarle—. Es demasiado pronto para decir nada. El verano acaba de empezar.

Troy miró a su padre y sonrió. Ya habría tiempo para pensar en el futuro, después de haber disfrutado del mejor verano de su vida.

Entonces, el señor Fulton retrocedió en el escenario, con el premio Estrellas Deslumbrantes en la mano.

—Señoras y señores, el ganador del premio Estrellas Deslumbrantes de este año es, por supuesto, nuestra única...

Antes de que pudiera terminar, Sharpay agarró el micrófono y dijo:

—¡El señor Ryan Evans!

Le quitó el premio al señor Fulton y se lo entregó a Ryan, sorprendido pero sonriente. Luego se dio la vuelta y vio a Zeke delante de ella con un bollo.

—¿Un bollo de chocolate? —gritó ella—. ¿Cómo sabías que era mi preferido?

—Lo adiviné. —Él sonrió—. ¿Tal vez por los tres que te comiste antes del espectáculo? Pero hay más en camino.

Había sido una noche para recordar, y la diversión continuó al día siguiente, cuando se cerró el club para una fiesta sólo para empleados. Todo el mundo, ¡incluso Sharpay!, se tiró a la piscina. Hasta cantaron y bailaron un poco.

Más tarde esa noche, los Wildcats estaban estirados en el campo de golf, disfrutando del dulce sabor de su triunfo.

—¡Amigo, qué fiesta! —exclamó Troy.

—Me alegra de que no tengamos que limpiarla —dijo Chad.

—En realidad —dijo Taylor—, creo que tenemos que hacerlo.

Gabriella sonrió, soñadora.

—Pero no hasta mañana.

Zeke asintió.

—Cuando volvamos a fichar y nos paguen —añadió a propósito.

Tras una breve pausa, Sharpay dijo:

—Yo les ayudaré.

Todas las cabezas se volvieron en aquella dirección. Todos estaban impresionados, pero nadie más que Sharpay.

—¿Yo he dicho eso? —dijo Sharpay.

De pronto, los aspersores empezaron a expulsar agua por todas partes. Se oyeron gritos de júbilo mientras los Wildcats se empapaban del todo. Empezaron a correr por la hierba, entre risas.

Pero Troy y Gabriella se quedaron un poco atrás, mirándose. Parecía que todo volvía a estar bien. Absortos en el momento, se inclinaron y por fin se besaron con ternura. La noche no podría haber sido más perfecta. Sonriéndose, corrieron tras sus amigos bajo el cielo estrellado de verano.

Esta edición de 10.000 ejemplares
se terminó de imprimir en
Kalifón S.A.,
Humboldt 66, Ramos Mejía, Buenos Aires,
en el mes de octubre de 2007.